新潮文庫

最後の恋

つまり、自分史上最高の恋。

阿川佐和子　角田光代
沢村凜　柴田よしき　谷村志穂
乃南アサ　松尾由美　三浦しをん

新潮社版

8575

目次

最後の恋

つまり、自分史上最高の恋。

春太の毎日

三浦しをん

三浦しをん（みうら・しをん）

一九七六年、東京生まれ。早稲田大学第一文学部卒業。二〇〇〇年、書き下ろし長篇小説『格闘する者に〇《まる》』でデビュー。〇六年、『まほろ駅前多田便利軒』で直木賞受賞。ほかに小説『私が語りはじめた彼は』『むかしのはなし』『風が強く吹いている』『きみはポラリス』『仏果を得ず』、エッセイに『しをんのしおり』『夢のような幸福』『乙女なげやり』『あやつられ文楽鑑賞』などがある。

「パイプカットでもしたほうがいいかもね」

　と麻子が言ったので、

「いやだ」

　と俺は答えた。

　麻子と一緒に、リビングでごろごろしながら、春の昼下がりをすごしていたときのことだ。

「だって春太《はるた》、このあいだも公園で、かわいい女の子にちょっかいかけてたでしょ」

　む、見ていたのか。だけど麻子、それはちがうぞ。ちょっかいをかけてたんじゃなく、かけられていたんだ。

　俺は異性にわりと人気があるのだ。いやもう、率直に言って、性別年齢種族を問わず、あらゆる相手から俺はモテモテなのだ。麻子も知ってるだろ？

だから、ほかの子とちょっと仲良くしたからって、いちいち妬《や》かないでほしい。俺がモテるのは俺のせいじゃない。かっこよくてスタイルがいいうえに性格も温厚で、しかもひとを安心させずにはおかない愛嬌《あいきょう》まである俺が、モテてしまうのは不可抗力なのだ。

恨むなら、俺をこんな魅力的な男にした神さまを恨んでくれ。そうだ、俺じゃなく神をパイプカットしろ。な、麻子。そうしようや。パイプカットなんて、そんなおそろしげな言葉で俺をおどすのはやめてくれ。

だいいち、麻子が妬く必要なんて、本当はこれっぽっちもないんだぜ。俺は身も心も麻子ひとすじだ。何度も何度もそう言って、毎日毎日態度で示してるのに、どうして信じてくれないのかなあ。麻子のそういう疑り深いところも、俺は好きだけど。

以上のごとき思いをこめて麻子を見つめていたら、

「なにシマリのない顔してんのよ」

と軽く頭をはたかれた。照れちゃって。かわいいな、麻子。俺は床に腰を下ろし、ソファに座ってテレビを見ている麻子の膝《ひざ》に、そっと顎《あご》をのせた。

窓の外では、桜のはなびらがやわらかく風に舞っている。あったかく湿った土のにおいや、木の芽が少しずつのびていく音が、部屋のなかまで届いてくるような気がする。

「春だなあ」

俺はつぶやく。俺のつぶやきを無視して、麻子はワイドショーを熱心に鑑賞している。

「ほら春太。パイプカットしてる芸能人って、けっこういるんだよ」

その話題はまだつづいてたのか。

有名な時代劇俳優が、浮気癖に手を焼いた妻のすすめでパイプカットした、というワイドショーのトピックスを見ていて、麻子は急に俺にもその話をふってきたのである。

ちらっとテレビ画面を見ると、見慣れた顔の芸能リポーターが、「パイプカット芸能人一覧」というフリップを手に、なにやら解説していた。

「俺は芸能人じゃないからいいんだ」

自分でも筋道の立っていない受け答えだとわかっていたが、吐き捨てるようにそう言って、麻子のそばを離れた。だいたい、麻子だって浮気してるじゃないか。テレビのまえを横切って、窓辺に立つ。なんだか悲しくなってしまった。

そうだ、浮気者は麻子のほうだ。俺が、声をかけてくる子にちょっと愛想よく応対したただけで怒るくせに、自分はあろうことか、この家に堂々とほかの男を招き入れたりする。俺と住んでるこの家に、だぞ？

俺の受けた衝撃を、ちょっとは慮《おもんぱか》ってもらいたいもんだ。麻子が最初に男をつれこんだ夜は、ショックのあまり、飯も喉《のど》を通らなかったぞ。翌朝には腹が減りまくってたから、いつもどおり食ったけど。

驚きあきれてものも言えない俺のまえで、麻子はあの男と平気でいちゃつくし。あの男……なんていったっけ？　そうだ、米倉健吾《よねくらけんご》だ。くそ、思い出すだけでむかつく。ぼやけたツラしやがって。麻子もあんな男のどこがいいんだ。俺のほうが足も速いし、タフだし、毛だってふさふさしてるのに。米倉、あいつは絶対にはげるぞ。いまだって、前髪で隠してるけどたぶん順調に額が後退中だと俺はにらんでる。麻子は気づいてるのかなあ、そういうことに。

とにかく、米倉のやつももうちょっと遠慮ってもんを知るべきだ。麻子に俺という男がちゃんといるのを知っていながら、何度も家にあがりこみやがって。まあ、麻子はすごくいい女だからな。誘われたら拒めないってのは、同じ男としてわかるけれど。

それにしてもずうずうしいだろ、米倉！

二人してベッドに入っちゃって、俺はリビングで何度毛布を涙で濡《ぬ》らしたかわからからない。お願いだから俺の心を試すのはやめてくれ。何度そう叫んだかわからない。俺の繊細なハートはずたぼろだ。

でもいまはもう、できるだけ黙認することに決めている。麻子の一番は俺だ、ということがわかったからだ。ざまあみろ、米倉。鈍感なおまえは気づいてないようだが、麻子にとって、おまえは所詮《しょせん》遊びにすぎないのだ。腹立たしいことに米倉が、肌をつやつやさせて帰っていったある朝、

「そんなに怒らないで、春太」

と麻子は言って、リビングでふて寝していた俺をそっと抱き寄せた。

「春太は私のなかで、ほかのひとと比べることなんてできない存在なんだから」

「ホントか？　比べようもないほど、俺のこと大事か？」

「大好きだよ、春太」

ああ、麻子！　俺もだ。俺も麻子のことが大好きだ。

麻子が真実愛してるのは俺だけだというなら、それでいいんだ。俺は麻子のその言葉を信じるし、たまに麻子が毛色の変わった男をつまみぐいしたって、広い心で大目に見る。だってしょうがないよな、愛してるんだもん。愛してるから、なんでも許せちゃうんだもん。俺ってけなげだ。

あ、またはなびらが風に流れた。庭の桜は満開だ。

「春なんだなあ」

俺は物憂《ものう》い思いをふりはらった。今日は米倉という邪魔者もいない。麻子が部屋の掃除をしないときは、やつは来ないということなのだ。せっかく麻子とべったり一緒にいられるのに、うだうだ考えてちゃもったいない。

「俺、一年のうちで春が一番好き。麻子と会えたのも春だったし」

そう言って振り返ったら、麻子も窓辺に来た。俺の隣に立って、黙って庭を眺める。麻子が俺との出会いの光景を思い出しているのがわかる。たまに、麻子がなにを考え、なにを感じてるのか、こわいぐらいに伝わってくるときがある。

そういうとき、俺はとても幸せだ。

麻子が、道でへたりこんでた俺に声をかけてくれたのは、三年前の春だった。今日みたいに日差しがあたたかくて、町のあちこちで桜が咲いていた。

「どうしたの、こんなところで」

麻子はためらいなく道ばたにしゃがんで、俺の顔をのぞきこんできた。「おなか減ってるの？」

ずっと歩きづめで、何日もまともに飯も睡眠もとってなかった俺は、返事をする気力もなかった。だけど麻子の目があんまりやさしかったから、無視するのも悪いと思って、なんとか「うん」と声を振り絞ったんだ。

「そっか。じゃ、うち来る？」

耳を疑ったね。おいおい、そんなに警戒心がなくていいのかよ。たしかにいまは疲労と空腹でグロッキー状態ではあるが、俺は一応オトコノコなんだぞ、と。

いま思うと、麻子がなんのためらいもなく男を家に上げるのは、性癖みたいなもんなんだな。麻子はやさしいから、困ってるやつを放っておけないんだろう。きっと米倉のやつも、道で行き倒れていたのにちがいない。

俺はともかく、米倉のことなんか拾ってやらなくてよかったのになあ。情が深すぎるのも考えものだ。でもそれが麻子のいいところだ。

麻子は初対面の俺に、「ほら」と手をさしだした。どうしよう、いいのかな、と俺が迷っていたら、

「行くとこないんでしょ」

と微笑《ほほえ》んで、先に立って歩きだした。数歩行ったところでこっちを振り向き、「おいで」と手招きする。

風が吹いて、麻子のとてもいいにおいが俺の鼻先をくすぐった。日向《ひなた》に咲いてる夕

ンポポみたいな、乾いて甘いにおいだ。たのもしくてぬくもりのあるにおいだ。

それで俺は、麻子についていってみることに決めたんだ。

麻子はこぢんまりとした一軒家に、一人で住んでいた。

「両親は死んじゃって、ここには私しかいないの。だから、いつまでもいたいだけいていいよ」

と麻子は言った。

麻子の両親は微笑みを浮かべ、スナップ写真となってリビングのチェストのなかにしまわれていた。麻子はチェストから物を探すついでに、たまにその写真を取りだして眺めることがあった。

ほんの短いあいだだけだ。写真はすぐにもとどおりにしまわれる。

それ以外に、家のどこにも麻子の両親の痕跡《こんせき》はなかった。生前に使っていた食器も服も、気配すらも。

麻子は本当に一人ぼっちで暮らしていたようなのだった。

小さな庭もあるし、麻子はうまい飯を食わせてくれるし、ときどき一緒に風呂《ふろ》に入ってくれたりもしたから、俺はおおいにその家が気に入った。一カ月ほど経《た》つと、家よりなにより、麻子のことをすごく好きになっちゃって、もうどこにも行きたくなくなっていた。

だから麻子が、

「ここにずっといることにする？」

と、さりげなく尋ねてくれたとき、俺はとっても嬉《うれ》しかった。

「そうだな、そうしようかな」

「じゃあ、名前が必要だね」

「あんたが好きなように呼んでくれてかまわない」

「うーん」

麻子は少し考え、「春太。春太っていうのはどう？」

と言った。

「悪くない」

と俺は答えた。

ホントはその名前をすごく気に入ったんだけど、「悪くない」なんて答えちゃって、俺もあのころはまだ青かったよな。うんうん。

それから麻子と俺は、ずっと仲良く暮らしてるのだ。

「きれいだねえ」

と、庭を見ながら麻子が言った。

「きれいだなあ」

と、俺は麻子の横顔を見ながら言った。ほれぼれするぜ、麻子。三年経っても見飽きないどころか、どんどんきれいだと思うことが増えたぐらいだ。

なんだって、麻子がしたいようにすればいいよ。あ、パイプカットはごめんこうむりたいけど。それ以外は、なんでも麻子の思うとおりにすればいい。ほかの男を家に呼ぶのも、俺がべつの女の子と仲良くするのを怒るのも、すべて麻子の思いのままだ。

何度でも俺を裏切り、試すといい。

どうされたって、俺が麻子を好きだということは変わらないんだから。

麻子は家でデザインの仕事をする。そのあいだは、俺も気をつかっておとなしくしている。

なにをデザインしてるのかはよく知らない。

「だって春太、見せるとすごく興奮するんだもん」

と恥ずかしがって、できあがったものをちゃんと見せてくれないからだ。なんだよ、麻子のケチ。きれいなものを見て、興奮しないほうがおかしいんだ。

いままで見せてもらったいくつかの仕事や、状況から推察するに、麻子がデザインしているのは、たぶん主に本だろう。

二階にある麻子の仕事部屋には、資料の本や雑誌がいっぱい並んでいる。埃《ほこり》っぽい紙のにおいが、俺はけっこう好きだ。落ちつく感じがする。

麻子はそのなかに埋もれるようにして、ほぼ毎日パソコンに向かう。たまに、自分の手でなにか切ったり貼《は》ったり絵を描いたり、カメラを持って写真を撮りにでかけたりもする。

麻子はものを作るのが好きなのだ。

「麻子、そろそろ飯にしないか?」

と戸口から部屋をのぞいて、

「あら春太。もうおなか減ったの?」

とこっちを振り向いてくれたときは、仕事が順調に進んでる証拠だ。でも、俺が階段を上って戸口まで行くか行かないかのうちに、

「春太うるさい。暑苦しい」

と、いわれなき中傷の言葉を浴びせかけられたときは、できるだけすみやかに退散したほうがいい。寝起きの麻子と、仕事の締め切りが迫った麻子は、この世で一番危

険な猛獣なのだ。君子危うきに近寄らず、だ。

でもどんなに忙しくても、麻子は夕方には必ず作業を一時中断し、俺と町内をぶらぶら散歩してから、飯を食う。

「俺のことは放っておいてくれていいんだぜ」

と言っても、

「あんまり時間が取れなくて悪いけど、ご飯ぐらいは一緒に食べようね」

と笑う。

ああもうなんてよくできた子なんだろうなあホントに俺は果報者だよ。感動と恋心が高まりすぎて、なんだか孫を誉《ほ》めるジイサマみたいな心境にまでなっちゃう俺なのであった。

昨日は一日、麻子は猛獣モードで仕事部屋に籠《こ》もっていたんだけど、夜になって突然、足音も荒くリビングに降りてきた。

「どうしよう！　春太、今日何曜日だっけ？」

「えー？」

俺はそろそろ寝床に入ろうかなと思ってたところだったから、あんまり頭がまわってなかった。「金曜だろ」

「ぎゃー、金曜日！　ということは明日は土曜。どうしよう！」

麻子は大急ぎでリビングを掃除しはじめた。俺を追い立て、夜なのにもかかわらず掃除機をかける。

俺は掃除機の音が苦手なのだ。雷に似ていて、聞いてるとなんだか震えがくる。

そのときも、毛布をかぶってしまいたかったのだが、麻子にかっこわるい姿を見せたくないから我慢した。

やめてくれないかなあ、と願いながら、

「おい、近所迷惑だろ」

と言っても、麻子は耳を貸さず、

「まにあわない、まにあわない」

念仏みたいにつぶやいて、鬼気迫る形相だ。

こういう状態の麻子に逆らっちゃいけない。まあいいや、もう夜もかなりあたたかくなってきたし、ひとまず玄関に避難しよう。そう思って場所を移したら、麻子が後を追うようにやってきて、今度は玄関も磨きたてる。そのあたりで、ようやく俺もぴんときた。

米倉だ。米倉が来やがるのだな。

いまいましい。あんなやつ、この家の敷居をまたげるだけでも、随喜《ずいき》の涙を流して五体投地しろって感じなのに、掃除までして出迎えてやることなんかないんだ。

俺はむっつり黙りこんで、麻子のすることを見ていた。玄関をきれいにし、便所掃除に移行していた麻子は、俺の不機嫌オーラにも気づかず言った。

「ねえ春太ぁ。明日の夕方、米倉くんが来るのよ」

「あっそ。ふうん」

「夕飯を作るから、一緒に食べようって言っちゃってさ」

「なんでそんなこと言うんだよ！　麻子、あいつになんか弱みでも握られてんのか？」

そうだとしても、安心していいぞ麻子。米倉なんざ、俺がその気になりゃ一撃でオダブツにできるからな。

「どうしよう、まだ買い出しにも行ってないよ」

「カップラーメンでも食わせとけば」

「明日スーパーが開いたら、すぐ行くしかないか……。でもそうなると、仕事の進行がちょっと押しちゃうし」

麻子はぶつぶつ言い、便所ブラシを片手に勢いよく俺を振り返った。「春太！」

「なんだよ」

「あなた明日、米倉くんが来たら、少しお相手してて」

「なんで俺が。やだよ」

「そのあいだに、ちゃちゃっと仕事をやっつけて、それから夕飯作りに取りかかるから」

「ちょっと麻子！」

「頼んだからね」

麻子はもう聞いちゃあいなかった。目に触れる場所の掃除を終わらせ、さっさと二階へ上がっていく。

あまりにも残酷じゃないか。細かいことを気にしないおおらかさは、麻子の数多い美点のひとつだが、無神経にもほどがあるぞ。俺は米倉と同じ空気を吸うだけで、なんかちょっと腹具合が悪くなるほどだってのに。

そんなこんなで夜が明けたんだが、今朝の麻子は目の下にクマを作ってた。きっと夜じゅう仕事してたんだろう。そんな無理をするぐらいなら、米倉に来る時間を少し遅らせるよう言えばいいのにと思ったけど、猛獣モードの麻子に意見などしてはいけない。俺はそれを経験から学んでいた。

夕方と言われて四時にやってきた米倉は、

「いらっしゃい、米倉くん」

と麻子に笑顔で応対された。シャワーを浴びて化粧もしたから、クマはもうあんまり目立たない。

「ちょっと早く来すぎたかな」

と米倉は言った。

「まったくだ。ていうか、来んな」

と俺は言った。

「ううん、全然大丈夫。だけどごめん、ちょっとだけ待ってて。区切りをつけとかなきゃいけない仕事が、一個だけ残ってるの。すぐ終わるから」

「忙しいようだったら、出直すけど……」

米倉は心配そうに麻子を見た。

「よし、よく言った。帰れ」

「さっきからうるさいよ、春太」

と、麻子は怒って俺の背中をはたいた。なんだよ麻子、俺は麻子のためを思って、このニブチンに言ってやってるってのに。

「あがって。お茶飲みながら、テレビでも見ててね」

「あ、おかまいなく」

ホントにおかまいすることないぞ、麻子。だけど麻子は、米倉に丁寧に茶とクッキーを出し、それからすまなそうに謝って、二階へ上がっていった。上がるまえに、台所で俺に、俺専用のクッキーをくれたがな。ふっふっ。米倉、おまえはこの特別なクッキーを麻子からもらったことあるまい。うまいんだぞ、これ。

そういうわけで、俺はいまリビングに米倉といる。本当は一緒の部屋にいたくないが、麻子にクッキーまでもらって「おねがい」されちゃ、しかたがない。

米倉はちんまりとソファに座り、俺はそんな米倉に背を向けて床に寝そべり、テレビを見るふりをしている。いやだいやだ、空気が重い。麻子、早く降りてきてくれないかな。

なにやらごそごそしていた米倉が、

「春太」

と、おずおずと呼びかけてきた。

「おまえごときが呼び捨てにすんな」

「おみやげがあるんだ」

なに、みやげ？

「めずらしく気のきいたことするじゃないか。なんだよ」

俺は首だけ上げて米倉のほうを見た。米倉が持っているのは、おお、ガムじゃないか！　しかもこの香り。俺の好きなメーカーのだ。

だけど、がっつくのもはしたないからな。俺はまたもとどおり寝そべった。米倉はためらっているようだったが、やがてソファから立って、しずしずと俺の近くに来た。床に膝《ひざ》をつき、「はい」と俺の顔のまえにガムを差しだす。

あ、そう？　まあ、くれるっつうなら、もらっとくけど。

俺はガムを受け取り、これが米倉の骨だったらいいのになあ、こうしてやるのに、と思いながらガリガリ噛《か》んだ。うまい。やっぱりガムはこれに限るぜ。わりとものわかるやつじゃないか、米倉。

米倉はそのまま、俺のそばに座りこんだ。

「なんだよ、見てんなよ」

「きみはかっこいいね」

米倉は静かな声で言った。「大きくて堂々としてるし、毛なんか金色でつやつやだし、足はたくましく、腹はひきしまってる。麻子さんに大事にされてるんだね」

「まあな。しょぼくれたおまえとはちがう。俺の毛は毎日、麻子がとかしてくれるんだぜ。すっごく気持ちいいの。おまえはやってもらったことないだろ」

「そしてきみも、麻子さんにとても忠実だ。いつもそばにいて、ちゃんと彼女を守ってるもんなあ」

「そんなの当然だ。俺は麻子にラブだからな」

そう言ってやったら、米倉はため息をついた。

むむ？　能天気なところが、この冴《さ》えない男の数少ない取り柄といっちゃあ取り柄なのに。今日の米倉は、ちょっといつもと様子がちがうみたいだ。

俺はガムを嚙むのをやめて、身を起こした。

「さてはおまえ、うちひしがれてるんだな。俺の魅力にはかないっこないってことを、ようやく悟ったか？」

「麻子さんは、俺のことなんて言ってる？」

「遊びだって言ってるよ」

いや、麻子はやさしいから、はっきりそう言ったわけじゃないけどな。

「このごろ思うんだ。麻子さんはなんでもできる。仕事もばりばりこなして、この家だって一人できちんと管理して。きみというパートナーもいる」

米倉はまたため息をついた。「俺は麻子さんの支えになれてるんだろうか。今日だって無理させちゃったみたいだし」

「あのなあ」

俺が背筋をのばして座ると、背中を丸めて悄然《しょうぜん》と座っている米倉と、目線の位置がほぼ同じになる。「はっきり言って、おまえなんて麻子のクソの役にも立ってない。だけど、麻子はおまえを家に呼ぶんだ。それでいいだろ。光栄に思っておけよ」

米倉が顔をあげた。

「慰めてくれてるのかい？」

「いきなり究極のポジティブシンキングをかますやつだな」

俺は気まずくなって視線をそらした。「どうせ一時の栄誉なんだから、くだくだ考えんなって言ってるんだ」

米倉は俺の背にそっと手をのばした。

「触っていいかな」

「もう触ってるじゃねえか」

「麻子さんって、ふだんはどんな感じ？」

「そんなのおまえに教えない」

すげなく言っても、米倉はこたえたようでもなく、うっとりと視線を宙にさまよわせる。

「しっかり者だし、やさしくて明るいし、きれい好きだし。きみは幸せだねえ」

待て待て待て。米倉、おまえそれ、けっこうドリーム入ってるぞ。

たしかに俺は麻子といて幸せだ。だけどなあ、麻子はかなり粗忽者《そこつもの》だし、猛獣モードのときは俺でも手に負えないほどの狂犬になるし、しょっちゅう「仕事がうまくいかない」ってドヨーンとするし、さらに言うと、整理整頓《せいとん》とは無縁の女だぞ。でも、それは秘密だ。麻子と俺だけが知っていればいい秘密なのだ。

その夜、麻子はナスの中華蒸しと春雨サラダと卵スープとギョーザを作った。うまそうなにおいだなあ。しかし麻子、ギョーザってどうなんだ。

いや、俺はいいよ？　麻子がニンニクくさくても。でもふつうの女の子は、男に食わせる手料理にギョーザは選ばないもんだと思うぞ。ま、それだけ米倉が「どうでもいいやつ」だってことだな。

気づけ、米倉。「あんたにはニンニク程度がお似合い」という麻子のアッピールに気づけ。

しかし米倉は、リビングのテーブルで嬉《うれ》しそうに、ギョーザ作製にいそしんでいる。

満月みたいな皮で、ニンニクたっぷりの具を包んでいる。台所で蒸し器の準備をする麻子が、米倉に手伝いを頼んだのだ。

「おまえさ。麻子に、『あんたのことなんて、なんとも思ってない』って遠回しに言われてるんだぞ？」

米倉の手もとをのぞきながら、そう教えてやった。いきなりふられたんじゃ、ショックがでかいだろうからな。ちょっとした俺の気づかいだ。

「あ、だめだよ春太。これはまだ生だ」

それなのに米倉は、見当違いのことを言って俺を腕で押しやった。そのあいだも、椀《わん》に入った水で指先を湿らせて、皮の口を閉じるのに夢中だ。

「麻子さん、俺がギョーザが好きだって言ったの、覚えててくれたんだな……」

だめだ、こいつは。頭に花が咲いてやがる。ま、そのうち真実に気づくだろうから、ほうっておこう。

麻子と俺と米倉は、庭の桜を見ながらリビングで飯を食った。

麻子は俺のために、スペシャルな飯を用意してくれていた。「牛肉の角切り缶」だ。麻子はめったに食わせてくれないが、俺はこれが大好物なのだ。

米倉よ、おまえはニンニクを食っておけ。俺は牛肉だ。これが愛の差というものだ。

「桜もこの週末で終わりだね」

米倉が帰っていったあと、麻子はソファに腰かけて、ささやき声でそう言った。

「また来年咲くさ」

いつものように麻子の膝に顎《あご》をのせ、目を閉じる。麻子が俺の頭をなでてくれる。ゆっくりと、眠りの世界に誘うように。


俺の趣味は散歩である。

もちろん、麻子と行くのだ。朝と晩、俺たちはいろいろしゃべりながら道を歩く。天気がよくて、麻子に時間があるときは、近所の大きな公園まで足をのばしたりもする。ここには広場があって、だれでも自由に走ったり転がったりして遊ぶことができるんだ。麻子はあまり走るのが得意じゃないらしく、俺が遊ぶのを笑いながら眺めていることがほとんどだ。

思いきり体を動かすのは気持ちいいが、公園に来ると社交が大変だ。

言い寄ってくる女には、

「俺はもう、運命の相手と出会っちゃったんだよ。悪いな」

と、失礼にならないように、でもきっぱりと断りを入れなきゃならない。やきもちやきの麻子が見張ってるしな。いやいや、見張ってなくても、もちろん断るけど。俺は貞節という言葉の意味をよく知っている男なのだ。

女だけじゃなく、ガキや年寄りもなんでだか俺に寄ってくるんだよなあ。こいつらは、俺が急に動いたりするとびっくりして転んだりするかもしれないから、気が抜けないのだ。

「かわいいねえ」とか「立派だねえ」とか言うのに、「まあな」とか「鍛えてるもんで」とか適当に答えながら、俺はじっとしている。

モテすぎるってのも、なかなかつらいもんだぜ。

俺は頭脳派の一面もあるから、散歩のあいだにいろいろ情報収集もしている。町のにおいに変化がないか気を配ったり、落ちてるもんを点検したりして、麻子に危険が迫るような事態がどこかで起きてないか、毎日チェックする。

夕方まで降っていた雨も、いまはあがった。湿った夜のアスファルトのにおいを、俺は胸いっぱいに吸いこむ。

うむ、今日もこの町は平和なようだ。

夜の散歩は特に、俺が好きな時間だ。ひとも車もあまり通らないから、世界に麻子と俺しかいないような、いい気分になれる。

楽しいなあ。麻子と歩くと、そこがたとえ見慣れた道であっても、俺はいつもわくわくしてくるよ。

ところが今夜の麻子は、なんだか沈んでいるようなのだ。

「見ろよ、麻子。吐く息が白いぞ」

と話しかけても、伏し目がちに歩を進めるばかりだ。

「……なんかあったのか？」

麻子は今日、めずらしくどこかへでかけていった。俺は快く麻子を送りだしてやり、留守番していた。麻子が俺をすごく頼りにしていて、俺がいるから安心して外出できるんだってことを、ちゃんと知ってるからな。

夕方に帰ってきた麻子からは、米倉のにおいがした。あいつと会ってきたというのは気に入らないが、まあ、たまにはデートという餌《えさ》を与えてやるのもいいだろう。米倉からは、このあいだガムをもらったことだしな。

俺なんか、日に二回も麻子とデートしてるわけだから、そのへんについては寛大な心を見せとくことにした。

そんなことより気になったのは、帰ってきた麻子が、ちょっと元気がないように見えたことだった。いつもと変わらず、「春太、散歩に行こうか」と声をかけてきたから、気のせいかと思っていたんだけど、やっぱり様子がおかしい。

「なにか心配事か？」

俺は、ちょっと遅れてついてくる麻子を振り返った。「夜道でも危なくないぞ。暴漢が襲ってきたら、俺が撃退してやるから」

麻子は黙っている。俺はどうしたらいいのかわからなくなった。麻子がなにかを悩んでいる。だけど、その原因が伝わってこない。

散歩ルートの途中にある、小さな児童公園に入った。街灯に照らされた、ジャングルジムとすべり台。夜の公園では、遊具までがなんだかさびしそうだ。

桜はもう、すべて散ってしまった。

麻子はベンチに座った。俺は麻子のまえに立って、麻子が悩みを打ち明けてくれるのを待った。

「また寒さが戻ってきたね。春は天気が不安定だから」

「うん。でもそれもそろそろ終わりだ。葉っぱがいっせいに芽吹く気配がしてる」

俺は鼻をひくつかせてみせた。そんな俺の顔を見ていた麻子の頬に、突然涙がころがりおちた。

「どど、どうしたんだ麻子！」

俺はびっくりしてしまった。麻子が泣くなんて、これまでなかったことだ。

「どっか痛いのか？　米倉のやつになんか言われたのか？」

俺が必死になだめても、麻子はうつむいて身を震わせている。俺は麻子の膝《ひざ》に両手を置き、のびあがってそっと涙をなめた。途方に暮れている麻子の心が凝縮した、しょっぱい味がする。

「どうしよう。どう答えたらいいだろう」

と麻子はつぶやいた。

「泣くなよ、麻子。俺がいるじゃないか。な？」

麻子の両腕が、ぎゅっと俺の背にまわされる。抱きしめられて、俺も麻子の首筋に頬をすりよせた。

ほら、麻子。こうやってくっついてると、ぬくもってくるだろう。泣くことなんかないんだ。俺がそばにいる。俺はいつだって麻子のことを考えてるし、思っている。だから笑っていてくれよ。

麻子の心臓は、俺のものよりずっとゆるやかに鼓動を刻む。命の速度がちがうからだ。俺はせつない。そして悲しい。麻子の悲しみを感じるのに、できることはあまりに少ない。

米倉め。麻子になにを質問したか知らんが、今度家に来たら、俺がぎったんぎったんのめためたにしてやる。

その日、俺は朝から調子が悪かった。

なんだかむかむかして、腹が痛い。風邪かなあ、まあ寝てれば治るだろう。

児童公園で静かに泣いた麻子は、翌朝にはもういつもどおりだった。元気に仕事し、一人で笑ったり怒ったり騒がしい。だけど、チェストから頻繁に親の写真を取りだして眺めたり、たまにどこかに電話しようとしては、ため息をついてやめてしまったりするのを、俺はちゃんと知っていた。

うーむ。やっぱりいまは寝てる場合じゃないぞ。俺のチャームで、麻子の心を少しでもやわらげてあげなくては。

そう思うのだが、体が言うことをきかない。いてえよう。腹のなかが嵐《あらし》みたいに荒れ狂っている。

昼飯を食いに一階に降りてきた麻子が、リビングでへばっている俺を見て、

「どうしたの春太！」

と叫んだ。

麻子に心配かけちゃいけない。

「どうもしやしねえよ」

と起きようとしたが、足がふらついてしまってだめだった。麻子がかけよってきて、俺の体をあちこち触る。

「苦しいの？　どこがどう痛い？」

「腹がちょっと……」

「獣医さんに行かなきゃ！」

麻子は毛布で俺をくるみ、抱きあげようとした。

「だめだ、麻子。やめてくれ」

座り仕事をしているせいで、麻子は腰が悪い。よく、「あー、腰が痛い」とリビングの床にのびてうなっていて、俺が乗って足踏みしてやると、「気持ちいい」と喜ぶのだ。

自慢じゃないが、堂々たる体軀《たいく》の筋肉質な俺は重い。そんな俺を抱えたりしたら、麻子がまた腰をいためてしまう。

それに、抱えたとして、どうやって医者のところまで行くつもりだ？　麻子、車を持ってないだろ。俺は頑健だから、医者に行くのは注射のときぐらいだが、歩いて二十分以上かかったはずだ。あの道のりは、遠くていやなもんだぞ。ごねると麻子が怒るから、俺はおとなしく言うことを聞いていたけど。痛くてこわい注射のために、なんでわざわざこっちから出向かなきゃならないんだと、いつも憂鬱《ゆううつ》だった。

いや、いまは注射の話じゃなかったな。とにかく、あんないやな道のりを、腰の悪い麻子に運んでもらったとなったら、男の沽券《こけん》にかかわる。

「大丈夫だから、無理すんな」

俺は身をよじって麻子の腕から逃れた。なおも俺を持ちあげようと奮闘する麻子の手を、ちょっとなめる。

「じっとしてれば、すぐ治る」

「春太、春太、しっかりして」

麻子は半べそをかいて、俺の体をさすった。俺ってば、麻子にすっごく愛されてるなあ。ああ、幸せだ。

「いまなら笑って死ねる自信があるぜ……」

重いまぶたをなんとか片方だけこじ開け、麻子に向かってそう言った。ふっ、きまった。

麻子は俺にすがりつき、「死んじゃやだよ、春太ぁ」と、とうとう泣きだした。

いけないいけない。大事な麻子を泣かせてどうする。しかしもう、どうにもこうにも腹の痛みが尋常じゃない。

もしや俺、本当にこのまま死ぬのか？　くそ。なにやら悩みがあるらしい麻子を置いて、のんびり死んでる場合じゃないってのに。

玄関チャイムが鳴った。間延びした音がリビングに響く。麻子は最初、無視していたが、あんまりしつこく何度も鳴るもんだから、

「ちょっと待ってて。すぐ戻るから。動いちゃだめだよ」

と言って、玄関に走っていった。

「はい、どなた！」

喧嘩《けんか》腰の麻子の声が聞こえる。そういう態度はよくないぞ、麻子。回覧板を持ってきたお隣の沢木さんかもしれないじゃないか。ご近所づきあいは大切にしないと……。

「米倉くん！」

と麻子は言った。なに、米倉だと？　ええい、いまさらどのツラ下げて来やがったのだ。俺は渾身《こんしん》の力をこめて立った。追い返してやらないとならん。

麻子がドアを開けたらしく、米倉の声も聞こえるようになった。

「突然ごめん。あの俺、このあいだはちょっと急ぎすぎたと思って……」

「いまそれどころじゃないの！」

麻子は米倉の言葉を途中でさえぎった。「春太が、春太が……」

「春太がどうかしたの？」

麻子と米倉の足音が近づいてくる。まずいぞ、麻子。このリビング、荒れ放題だぞ。こんなの米倉のやつに見せちゃっていいのか。いかんだろ、麻子。

リビングの入り口で、米倉の侵入を断固阻止しようと思ったのだが、足がうまく動かないばかりか、ついに立ってもいられなくなり、へなへなと横倒しになってしまった。ちょうどそれを目撃した麻子が、短い悲鳴をあげて俺のそばに走ってきた。

「春太！」

「医者に運ぼう。外回りの途中で寄ったんだ。表に営業車を停めてあるから」

米倉は、ふだんのヌボーッとした風情《ふぜい》からは想像もつかないほど、てきぱきと動いた。俺を毛布でくるみ直し、楽々と両腕に抱える。

なんたる不覚。なんという屈辱。米倉めの世話になってしまうとは。

だが抗《あらが》いようもない。後部座席に乗せられた俺は、麻子に背中をなでられながら、米倉の運転で病院まで運ばれるしかなかったのだった。

あー、嘘《うそ》のように快復した。

医者で薬を飲まされた俺は、出すモノ出して、腹はすっきり気分は爽快《そうかい》になった。

「拾い食いだなんて！」

麻子はおかんむりだ。「恥ずかしいったらありゃしない。いじきたないんだから、春太は」

面目ない。

「まあまあ、たいしたことなくてよかったよ」

わかったように言うな。米倉、おまえまさか、ちょっと俺に恩を売ったからって、いい気になってんじゃないだろうな。

麻子と俺を病院から家まで送りとどけた米倉は、一目散に会社へ戻っていった。そしてまた夜に、様子を見にきたというわけだ。来なくていいのに。

「ほら、春太。照れてないで、米倉くんにちゃんとお礼を言って」

麻子は軽い足取りで台所へ消えた。飯がまだだという米倉のために、なにか作ってやるのだろう。来るなら、せめて食ってからにしろよなあ。本当にずうずうしいやつだぜ。

米倉は、リビングの床に散らばった雑誌やら洗濯物やらを遠慮がちに脇《わき》へどかし、自分の座る場所を作った。

「本当によかった」

寝ている俺の背に、米倉が軽く手を置いた。

まあ、なんだ、世話になったのはたしかだし。俺は米倉に目だけ向けた。

「ありがとな」

「きみになにかあったら、麻子さんが悲しむ。拾い食いはもうやめるんだよ」

おまえは一言余計なんだ。まったく。ふいと顔をそむけてやった。

「なあ、春太」

米倉が真剣な声で呼びかけてくる。「俺、結婚したいと思ってる」

「そ。すれば?」

「麻子さんにプロポーズしたんだ」

「なんだと!」

俺は驚いて立ちあがった。米倉がびくっとして、慌《あわ》てて俺から手をひっこめる。

「どうしたんだい、急に」

「どうしたはこっちのセリフだ。結婚したいって、麻子とか。どこをどうしたら、そんなだいそれた野望を抱けるのかが、俺にはわからないね」

あの夜、公園で麻子が泣いてたのは、米倉に難しい質問をされたからじゃなくて、プロポーズの返事に困ってたからだったのだ。迂闊《うかつ》だった。この唐変木《とうへんぼく》が身の程知らずなのはわかっていたが、かくも大胆な所業に及ぶとは予想もしていなかった。油断していた。

俺は米倉のまえを行ったり来たりしながら、こんこんと説教してやった。

「いいか、麻子にとっては、俺が一番なんだよ。もちろん、俺にとっての一番も麻子だ。俺たちは両思いなの。おまえなんかがうろちょろするまえからずっと、いまも、そしてこれからも変わらず、麻子と俺はラブラブなの。よって、おまえごときの入る余地などなし！　わかったか？」

「わかった、トイレだね、春太。まだ腹が痛いのか？　麻子さんを呼ぼうか」

「ちがーう！」

なんという救いがたいアホだろうか。俺は威厳をもって床に座り、米倉を正面からにらみすえた。

「治まったのかい」

「いいや、おさまらねえ。どういうことなのか、じっくり聞かせてもらおうか」

ドスをきかせてそう言うと、米倉は一つ息を吐き、もそもそと脚を組みかえて正座した。

「……正直言うとね。麻子さんからは、まだ返事をもらえていないんだ。俺が急に言いだしたものだから、悩ませちゃったみたいで」

「麻子は、どうやって穏便に断ろうかと悩んでるんだろ。察しろよ」

「俺は、いつまででも待つつもりだ」

「迷惑だ」

「麻子さん以外に、考えられない。今日、きみのことですごく必死になってる麻子さんを見て、ますますそう感じた」

「もうひとつ、よく見たほうがいいもんがあると思うぞ」

俺は顎《あご》で、乱雑にちらかったリビングを示した。米倉はしかし、汚い部屋を気にしたようでもない。

「麻子さんはいつも、きみ以外の家族は欲しくないと言っていたよ。ご両親を早くに亡《な》くされたせいかな」

俺への愛が大きいからだと思うがな。

だけど、そうか……麻子はそんなふうに思ってるのか。馬鹿《ばか》だなあ、麻子。なくすのをこわがって、なにも持たずにいるなんてさ。臆病《おくびょう》な子どもみたいなとこがあるんだから。ま、もちろんそこもかわいいんだけど。

「でも俺は、そういう麻子さんと、ずっと一緒にいたいと思ってる」

米倉は一人で決意を固めている。「年を取って、お互いのシモの世話とかするぐらい長生きして、それで最期《さいご》は『幸せだったね』って言えるような毎日を、一緒に送りたいと思ってるんだ」

「まーたドリームがはじまった」

俺はやれやれと首を振った。俺なんかすでに、毎日麻子にシモの世話をしてもらってるもんね。

「けっこういたたまれないもんだぞ、好きな相手にシモの世話させるのは」

「本気なんだよ、春太。だからきみにも言っておこうと思って。許してくれるだろ、俺が麻子さんと結婚するのを」

寝ぼけてんのか！　許すわけないだろ、このやろう！　俺は米倉に飛びかかった。

「うわ、なんだい春太」

米倉は俺を腹にのせたかっこうで、後ろにひっくりかえる。台所から、湯気の立つ器を持って戻ってきた麻子が、

「こら、春太！」

と言った。「もう、すっかり米倉くんに打ち解けちゃって」

ちがうんだがなあ。

今度はストレスで腹が痛くなりそうだぜ。でもまあ、麻子がうれしそうにしているから、今夜のところはそれでいいとするか。


それから麻子と米倉がどうなったかというと、べつにどうもなってない。当たり前だ。

あいかわらず、米倉は家へやってくる。麻子は部屋を掃除して出迎える。まえよりも訪ねてくる頻度がちょっと高くなったような気もするが、米倉はガムというみやげを持ってくるからな。少しは目こぼししてやろう。

米倉は、麻子といると楽しそうだ。まだ麻子にうんともすんとも答えてもらってないくせに、本当にめでたいやつである。まあいい。おまえは勝手にしろ、米倉。

俺もさすがに、腹痛騒ぎのあと、少し考えたのだ。

どうしたって、俺は麻子よりも先に死んじゃうだろう。つらいことだが、これぱっかりはしかたがない。

だからといって俺は、麻子を愛することをおそれたりしない。命がつづくかぎり、麻子と一緒にいて、麻子を幸せにしてみせる。その自信がある。だって、俺にとって麻子は最初で最後の、大切な大切な恋人なんだからな。

でも、俺が死んだあと、麻子はどうすればいいんだろう。俺のことを特別だと言ってくれて、いつだってとても大事にしてくれる麻子。そんな麻子は、俺がいなくなったらきっとひどく悲しむはずだ。いけないいけない。死んでからだって、俺のことで麻子が悲しむようなことがあっちゃいけないのだ。そんなことは、この俺の大きくて深い愛が許さないのだ。

それで俺は考えた末、名案を思いついた。米倉。あいつを少し認めてやってもいいんじゃないか、と。

米倉は風邪もひかなそうなアホだし、俺よりは長く生きるだろう。それに、米倉が麻子を一番に好きだというのは、どうやらたしかなことのようだ。麻子と俺の愛は揺るぎないから、米倉の恋心は所詮《しょせん》はむくわれぬものではあるが、まああんなのでも、いざというときにそばにいれば、麻子も少しは心安らかにすごせるかもしれない。

そういうわけで俺はこのごろ、米倉を受け入れてやっているのだ。言うなれば、米倉は麻子を一人にしないための保険だな。なにもガムをくれるからってだけじゃない、深謀遠慮が働いているのである。

今日は麻子と風呂《ふろ》に入った。シャワーをかけてもらって、丁寧にシャンプーされたあと、ドライヤーで乾かされた俺の毛は、我ながらうっとりするほど、ふわふわのぴかぴかだ。

「どうだ、麻子。惚《ほ》れ直すだろ」

「はいはい、座って春太」

麻子の膝《ひざ》のあいだに抱かれるようにして、俺は夢見心地で、ブラシで毛をすかれるに任せる。

ああ、いつまでもこうしていたい。

麻子と俺で、ずっと仲良く暮らしていたい。

でもな、麻子。俺以外にも、麻子のことを一番好きだと思ってるやつがいること、忘れないでいてくれよ。俺がいなくなっても、麻子は絶対に一人なんかじゃないんだ。

それから、ここがすごく重要なんだけど、俺が一番好きだと思い、だれよりも愛してると感じ、いつもいつも幸せを願う相手は、麻子なんだってこと、忘れないでくれ。俺が死んでも、麻子を大切に思ってた俺がいたこと、いつまでだって覚えていてほしいんだ。

そんなのは、まだまだ先のことだけどさ。なんていったって、俺は若くて魅力あふれるモテモテの男だからな。

以上のごとき思いをこめて、麻子を振り仰いでじっと見つめたら、麻子はブラシを持つ手を止め、ちょっと微笑《ほほえ》んだ。

「もうすぐ春も終わりだねえ」

と、麻子は言った。リビングの明かりに照らされて、桜の木はみずみずしい緑の葉を、夜に向かって繁《しげ》らせている。

「またすぐ次の春が来るさ」

と俺は言った。

そう、何度でも。麻子が生きて幸せでいるかぎり、何度でもあたたかい春はめぐってくるんだよ。

ヒトリシズカ

谷村志穂

谷村志穂（たにむら・しほ）

一九六二年、札幌市生まれ。北海道大学農学部で動物生態学を専攻。一九九〇年、ノンフィクション『結婚しないかもしれない症候群』で、女性を中心に大きな支持を集める。一九九一年、『アクアリウムの鯨』を発表し、小説家としてデビュー。二〇〇三年、『海猫』で島清恋愛文学賞を受賞。ほかに『アイ・アム・ア・ウーマン』『黒髪』『余命』『雀』『雪になる』『冷たい水と、砂の記憶』など著書多数。

プラタナスの樹《き》が、雪解けのはじまったなだらかなモエレ沼の丘で、新緑の蒼《あお》を芽吹かせている。萌葱色《もえぎいろ》のダウンジャケットにジーンズをはいた吉村瑞江《よしむらみずえ》は、ゆっくりと丘の表面を靴底で踏み締めるように上がってきた。

ダウンの下には、洗い込んだ赤いチェックのネルシャツに、ざっくりした生地のチャコールグレーのカーディガンを羽織っている。インディゴの深いジーンズにマウンテンブーツ、肩には杢《もく》グレーのデイパックを背負っている。

そんな格好をしていても瑞江が女性らしく見えるのは、一つにまとめた長い髪の一本ずつが艶《つや》やかで柔らかいことと、秀《ひい》でた額がこの公園のテトラマウンドと呼ばれる三角錐《さんかくすい》のなだらかな丘のように美しい面を作っており、肌が透き通るように白いからだ。三歳から二十五歳まで、母に強要されてバレエを踊らされていた。しなやかな体形は、やめてしまって何年も経《た》つ今もうっすら脂肪を重ねた程度でさほど変わらない。

木肌が、パッチワークのようにところどころ丸くはがれた、プラタナスに触れてみる。ポケットに納めたデジタルカメラを取り出す。その樹皮の中の好ましい模様、何かぐにゃりと潰《つぶ》れた丸のような、ゼリービーンズのようなカーブに首を斜に傾けながら写真を撮る。

デイパックの中から、B5サイズのノートを取り出すと、〈三月二十四日　今日！モエレ沼公園〉と、書いた。その横に樹木の写真を貼《は》って、今年のノートも完成となる。

カーキ色の軍用ベルトがついたハミルトンの円い文字盤を見ると、もう三時を回っている。

これから新千歳《しんちとせ》空港に向かい、羽田で降りると京浜急行に乗り、十六番目の駅の泉岳寺で下車する。後は、いつものように坂道を、我慢できずに走り登ることになるだろう。そう思うと、体が疼《うず》いてくる。

瑠木《るき》は今年も一足先に部屋に到着し、瑞江を待ってくれているだろうか。それとも、今年は瑞江の方が先になるだろうか。高梨《たかなし》瑠木は、毎年春を目前に控えたこの時期に、リュックサックに冬山の荷物を一式詰めて、坂道をゆっくり踏み締めながら帰ってくる。

日に焼けた顔の中で白い歯が彼女に向かって輝く。「何してたの？　瑞江」と、まるで今日や昨日のことを訊《たず》ねるように問いかけるので、ノートに瑠木に会えない日々の記録をつけるようになったのだ。これで五冊目、瑠木と離れて暮らすのも、丸五年になった。

戻ってきたら結婚しようと約束しているが、瑠木はまだ世界中の山を、カメラを持って放浪している。山を降りて来るつもりがないらしい。春の間だけ、泉岳寺にある二人の部屋で過ごす。半月もすると、また山へ帰ってしまう。

ある年は、北海道大雪山系のトムラウシ山に新しく建つ、山小屋の建設の手伝いにでかけた。

「なかなかいいメンバーなんだ。志がいいよ。みんな世界中の山小屋を見ている。今までこの国の山小屋はひどすぎたんだよ。瑞江だっていつも、山はどうもねえ、なんて言っているだろう」

その年の瑠木は珍しく饒舌《じょうぜつ》だった。

「山小屋にとって何が快適なのかを考えてみたらさ、絵になるストーブがあって、清潔なベッドと便所があって、頼もしいレスキューがいること。あとはなんだと思う？」

瑠木は瑞江の肩に腕をかけて訊ねたものだ。

「お風呂《ふろ》かな。それと、部屋にはうんとよく光が入ること、夜は静かなこと。月明かりや星が見えること？　食べ物がまあ、ひどすぎないこと……」

瑞江は、瑠木の気持ちになって考えてみた。山小屋での食事といえども、あまりに粗食だとひもじくなる。だがいきなりフレンチのフルコースを出されても、せっかく山に登ってきた気がしないだろう。地のもので、季節を感じる味や香りがあって、山歩きをしてきた人たちを満腹にしてくれる料理が欲しい。

「私、瑠木の側《そば》にいられるなら、その山小屋で料理人になったっていいのよ」

瑞江は料理学校を出ているし、小さい頃からパンやお菓子を作っていた。

今日も、泉岳寺に戻ったら、作りたい料理は色々あるのだが、その前に買い物に出ねばならない。

泉岳寺の部屋に瑞江が戻るのは年に数回しかない。毎年春のこの時期と、後は、年に一、二度、友人たちの結婚式などに呼び出される時くらいだ。

瑠木がよく語っていた大雪山の話に心を動かされて、彼女は今北海道に部屋を借りている。ニセコにオープンしたオーベルジュ形式のフレンチ・レストランで、料理のサーブをしているのだ。晴れた日には、羊蹄山《ようていざん》の全身が夕映えの中に迫ってくることもある。サーブをしながら料理を少しずつ覚えている。北海道では、アスパラガスも羊の肉も、スイカもメロンも収穫したてを美味《おい》しく調理できる。

瑠木と一緒に近くのスーパーマーケットに買い物に行って、彼の望むものを作ってあげたい。オニオンスープや、アンチョビとうずらの卵の小さな目玉焼きがひと切れずつに載った手作りのピザを仕上げると、瑠木はいつも鼻を鳴らして野良猫《のらねこ》のように旺盛《おうせい》に食べるのだ。そんな風に物を食べる男が心底好きだ。無邪気で、快楽に満ちている。そのまま性の官能を思い起こさせる。

モエレ沼から千歳まではタクシーで動いた。空港でカード精算の機械からチケットを受け取ろうとすると、コンピューターの表示に〈遅延〉と出た。〈窓口でご確認下さい〉。

咄嗟《とっさ》に振り返ると、雪が本降りになり始めている。

春の雪、戻り雪と呼ばれることもある。

さきほどモエレ沼でも頭上にちらつき始めた雪の気配を感じていたが、いつの間にこんなに雪片は大きくなっていたのだろう。

それでも問題なくチェックインが済み、機内へと誘導された。

シートベルトを締め、ブランケットを膝《ひざ》にかけると、早くも自分の体が興奮で熱く潤《うる》んでくるのを感じ、気恥ずかしさを覚える。一年も、こうして自分を放っておくのだから仕方がないわ、と瑠木に呼びかける。

どちらが先に帰っても、瑠木は最初に風呂に入る。湯上がりに美味しそうにビールを飲み終えて、部屋の窓を開け放ち、都市の夜の気配を楽しむようにソファの上で寛《くつろ》ぐはずだ。

一年間書き続けた瑞江のノートを見ながら、今年も同じことを言うだろうか？

「そろそろ迎えに来ようかと思ったけど、君一人でも、大丈夫そうだな」

「ばか言わないで。私はただいつだってあなたのところへ行けるように準備しているだけ」

答える瑞江は、もうおしゃべりはいいから、早く抱き締めてくれたらいいのに、と髭《ひげ》だらけの唇の周囲に細い指をはわせてみる。

出会ったばかりの頃から、瑠木はよくその筋張った手で瑞江の腕を引き寄せると、膝の上に彼女を乱暴に乗せた。犬や猫を扱うように、いとも簡単に。瑠木は膝に座った瑞江をどう操ることもできた。体のすべてに触れることができたし、その髭で覆《おお》われた唇でキスすることもできたし、匂《にお》いを嗅《か》ぐことも、じらしてため息をつかせることもできた。五感のすべてを刺激してくる。

「また笑うのね？　あなたのことだけ思って暮らしているのがいつもわかってしまうものね」

ここ数年の瑠木は、日焼けの色も褪《あ》せたのだろうか。一瞬眉毛《まゆげ》の片方でも落としたような表情を見せる。そんなこと、意味はないんだよとでも言いたげな顔をするようになった。負担になっているのかもしれない。三十も過ぎた瑞江が、彼が迎えに来るのをじっと待ち続けていることが。

春には山に登ってイカリソウやヒトリシズカなどの植物の写真を撮った。溶け始めた雪の下からすくっと姿を現わす小さな花、春の植物を瑠木も好む。中でもヒトリシズカは、その穂状の白い花が緑の輪生状の四枚の葉に抱かれたように立っており、いつでも孤高に光を浴びて見え、瑞江の心をくすぐる。

麓《ふもと》に降りると、カタクリの花畑を散歩して写真を撮る。初夏にはミズバショウの花の群生地を探しに出かけ、また、ニセコにある有島武郎《ありしまたけお》の遺《のこ》した有島農場への坂道を登った。

〈「楽園」に似ている〉

写真の横にそう書いたのは、瑠木が教えてくれたユージン・スミスの『楽園への一歩』というモノクロームの写真の風景と、その坂道の印象が重なったからだ。灌木《かんぼく》の葉や枝が両側から伸びて来ている。だが道の向こうには光を感じる。ひらけた場所へと通じる道なのだ。

二人で来た場所。瑠木が好きな花。いつか来たいといっていた場所。瑠木が好むはずの風景を、瑞江は追いかけていく。

今では自分は瑠木で、瑠木は自分なのだと感じることさえある。離れている分、余計にそんな傲慢《ごうまん》さが自分の中で育っている。笑われても、構わない。瑞江は瑠木を飲み込む。体ごと飲み込む。それが性を重ねるときのイメージなのだと知ったら、彼は怖がるだろうか。

あの大きな男を丸ごと飲み込む。

瑞江の肉体が瑠木を貪欲《どんよく》に求めるようになった頃、所属していたバレエ団の団長からは、遂《つい》にこう言われた。

「体の線が変わりましたね」

こくりと頷《うなず》いた。それでも項垂《うなだ》れたりはしなかった。鼻先から互いを見合うような格好での会話になるのは、バレリーナなら皆同じだ。

「恋をしています」

「お母様は、ご存知なの？」

バレエ団を辞めようと思ったことは、それまでにも幾度あったか知れない。もはや、バレエが好きなのかどうかさえわからなかった。だから、せめてわかるようになるまで、休ませて欲しいと頼んだこともある。嫌いだと思ったのでも、不向きだと思ったのでもない。国際的なプリンシパルにはなれないにしろ、時折、舞台に端役《はやく》でも招かれながら、やがては子供たちにバレエを教えることくらいはできるだろうかと考えるようになってはいた。

バレエをやめさせなかったのは母だった。母は病気なのだと、瑞江は理解している。幼い頃から、娘を思い通りにできないとしだいに感情が昂《たかぶ》って、手をあげた。家に数日間閉じ込められたことさえあった。ときには死の恐怖を感じた。父が亡《な》くなってからさらに酷《ひど》くなった母の干渉は、三歳違いの妹にも向けられた。瑞江に関しては、バレエさえ続けていてそこそこ上手に踊ることができていれば、機嫌はよかった。だからいつもびくびくしながら踊っていた。バレエ団の人たちも、私たち母娘《おやこ》のそんな関係には気付いていたはずだった。

「私はもう母の元は離れたんです。妹もようやく大学を卒業しましたから」

と、瑞江は告げた。

「だったら、よかったわね」

すべてを察してくれるバレエ団という場所が、私をずっと救ってくれていたのだということを、改めて思い知った瞬間だった。

飛行機は、なかなか飛び立たない。

モエレ沼を出る頃に降り始めた春の雪が、いつしか重たく嵩《かさ》を持ち始めたようだ。滑走路の除雪が必要になったと機内にアナウンスが流れた。

腕時計を見ると、午後の五時を回っている。

泉岳寺の部屋の窓からは、東京タワーが見える。瑠木は窓を開けると、ライトアップされた東京タワーにいつも見とれる。

男は、午前零時頃に照明が消えると、「消灯だね」と呟《つぶや》く。「おいで」と、ソファの横に座らせてくれる。

そのときに身の毛が立つほどの興奮を覚える。本当は午前零時など待たずに少しでも早くそのときを迎えたいけれど、刻一刻と合図を待ち、一年分の喜びを全身で受け止めることにしている。

いくらなんでも零時には間に合うだろう。

落ち着かない気持ちでシートベルトを外し、頭上の棚に納めたダウンジャケットのポケットからデジタルカメラを抜いて、さきほど撮影したプラタナスの画像を見た。暗い照明の中に、細密な抽象画のような白い斑《まだら》模様が浮き上がってきた。はじめて瑠木と会ったのも、プラタナスの木の下だった。

瑞江はそのとき、一人で札幌を旅していた。母から逃げ出すことばかり考えていた。殺すか殺されるか、結論はそのどちらかなのではないか。毎朝、目が覚めると震えが走るのを感じたものだ。

その日はバレエ団の春の公演のはずだった。チケットは団員たちの捌《さば》きですでに完売しており、上野にあるホールには〈白鳥その4〉という瑞江のためのベージュ色のレースのついた衣装が、用意されているはずだった。人気のソリストを英国から王子役に招いての公演とあって、バレエ団も威信をかけていた。バックステージでは、早い順に、メイクにかかっているだろう。ウォーミング・アップに余念のない踊り手たちが、トウシューズの裏に松脂《まつやに》の白い粉をつけているだろう。誰かの衣装の刺繍《ししゅう》が取れた、冠が足りないと騒いでいるかもしれない。いつもの情景を思い浮かべたときに、瑞江の足は何故《なぜ》か、止まってしまった。絶対にそこへは行きたくないのだと停止した。やがて自然に、羽田空港へと向かっていた。

ちょうど今とまったく逆の道を進んでいた。

羽田から飛行機に乗り込み、新千歳空港で降りると、タクシーの運転手に記憶の中にあった名前を告げた。

モエレ沼という不思議な名前の公園は、イサム・ノグチという、世界的な彫刻家が最後の情熱をかけて取り組んだ、人工の公園だ。

あるとき雑誌の中に見たその風景が、忘れられなかった。敷地はとても広いようだ。写真でみる限り、全体に緑の色が淡い。緩くなだらかな傾斜の丘がどこまでも続き、それは夢の園への誘《いざな》いの地のように感じられた。傾斜のくぼ地はそのまま巨大な水たまりになっており、夏には鳥も子供たちもそこで遊ぶということだった。

行ってみたい。でも、幻滅してしまうのかもしれない。憧《あこが》れていたどんな場所も、訪れてみると、幻滅してしまうのである。写真より素晴らしいなんてことはなく、案外殺風景な、こぢんまりした場所なのかもしれない。自分にそう言い聞かせた用心深さが、今は気恥ずかしく思い出される。

モエレ沼の静かな広がりは、瑞江の心に染《し》み渡っていくようだった。静かで、人影も少なく、カラスの鳴き声だけが木立の向こうから響いている。心が波打ち、奥へ奥へと誘われていった。北国独特の樹木なのか、見知らぬ木々が幾つも木立を作っていた。風の強い場所だった。

そっとつかまるように立った場所に、そのプラタナスの大きな葉が揺れていた。巻き毛のような縮れた髪の毛を、風に煽《あお》られながら写真を撮っていたのが、高梨瑠木だった。「面白いよね、この木」と、瑠木は瑞江の方にレンズを向けながらずけずけ言った。「何だか絵になっているから、撮ってあげるよ」と。

「撮ってくれなんて頼みましたか？」

瑞江ははじめひどく不愉快であることを露《あらわ》にしていたはずだ。眉をひそめているのに、男は許可もないままに、シャッターを押し続けている。

「可笑《おか》しいよ、そのプラタナスの模様と、君の膨れっ面《つら》が実によく似合っているんだ」と、レンズを下げると、肩で朗らかに笑った。日に焼けた顔の中に真っ白な歯が、そしてその奥の喉《のど》のふくらみまで見えた気がした。そんな大らかな笑い方をする人を間近に見るのははじめてのように思えた。

「待って。生意気な口のきき方をしたこと、あやまります」

瑠木は、ヨーロッパで、イサム・ノグチ本人と出会っていた。カフェの店先で、この公園のデザインについて情熱をこめて語られたときに、ノグチにいつか日本に戻ったらきっと写真を撮りに出かけると約束したのだと後に話してくれた。

――そんな約束の場所に、痩《や》せっぽちの君が、傷付いた鳥のように落ちていたんだよ、と。

飛行機が三時間近く遅れてようやく出発した。

喉がやたらと渇いて、瑞江は機内販売のビールを頼んだ。透明のビニールコップに注いだビールのほろ苦さが、彼女の上擦った気持ちを少しずつ落ち着かせてくれた。もしかしたら瑠木の方は、いつもより少し早く着いてしまい、今頃はあの部屋でこうしてビールでも飲んでいるだろうか。「乾杯!」と囁《ささや》いてあげたくなる。

一度だけ、瑠木と飛行機のシートに並んで座ったことがある。

彼が、もう十年ぶりに四国の母親の元へ戻るというときに、瑞江を誘ってくれたのだ。

「一緒に行く? 一応電話でそんな話をしたら、向こうは、喜んでいたけど」と、照れながら言ったものだ。

「お母さんに、私のこと、どう伝えてくれたの?」

「いやだよ、言いたくない」

「だめよ、言って」

他愛のないことを囁き合っているだけで、また性を交しあってしまう、そんな時期だった。

「俺の好きな女と行きますって、ただそう言ったさ」

「そうしたらなんて？」

その先を聞くのが怖かった。彼女にとっては母親とは恐ろしい、自らの夢をことごとく遮る存在に思えていたからだ。

「……お前、よかったなあ、ってさ。おふくろは、俺が一生独身のままなんじゃないかって思ってたみたいだったよ」

「今だってまだ独身だわ」

瑞江が言ったそのとき、瑠木はじっと彼女の目をのぞきこんだ。コットンのパンツのポケットをごそごそと探す。何か光るものが、古いマンションの、フローリングの床に転がった。

「でも、そうじゃなくなる。なくなろうと思ってるんだけど」と、その太い指で、銀色に光るものを拾い上げる。

瑞江の指に、ではなく、遠慮がちに手の平に渡された。

シルバーの、深く繊細に刻まれた鳥の目に、血のような色のルビーが光っていた。

ミラノで見つけたアンティークの指輪ということだった。

その指輪は瑞江の左薬指に今も重たく輝いている。すみずみまで好みのデザインで、彼女の細い指にサイズまでもがぴったりと合った。瑠木が、自分の心や体のすみずみまでも知ってくれていたことに胸が熱くなった。

その指輪をはめて、四国の道後《どうご》温泉に向かった。

瑠木の指には、同じデザインの、目の部分に青いサファイアが埋め込まれた指輪があった。並んで席に座り、ともにシートベルトを装着したときに、はじめてこれから運命を共にすることを自覚する喜びが溢《あふ》れた。毛布の下で、そっと指輪を握りしめた憶《おぼ》えがある。瑞江はよほどの事がない限り、その指輪を外すことはない。

実家は小さな宿屋だと聞いていたのだが、高梨家は道後温泉に旅館を三軒も経営する旧家で、母親という人は和服姿で瑞江たちを迎えてくれた。

額の辺が、どこか瑞江にも似ているようでくすぐったかった。

「よろしくお願いします」と、互いに頭を下げ、顔をあげたタイミングがまったく同じだったと瑠木は笑い、場の緊張がすぐに解けた。

瑞江ははじめて、母という存在の放つ温かさというものに触れたような気がしたものだ。高梨静子はただ、瑠木のありのままを抱き締めんばかりに迎え入れようとしていた。息子はあらたまった挨拶《あいさつ》をすることもなく、好物の冷や汁を作ってくれとか、きつねののったうどんが食べたいなどと、甘えてばかりいた。

制服を着た乗務員が、カートを押してビールをもう一本飲まないかと誘ってくる。

もういいと膝の上で手をふる。

高梨の母とはすぐに打ち解けたが、自分の母とは結局、分かり合うことはできなかったし、この先も無理だろうと瑞江は思う。

母は人を愛するということを知らない。いつも誰かに自分を認めて欲しいの一点張りで、そのために娘たちを装飾品のように扱った。娘が美しく育つこと、娘の舞台が誉《ほ》められる事が、母の欲求を満たすのだった。

自分もいつか母のようになってしまうのかと思うと怖くなる。

だから、子供はいらない。

飛行機がようやく羽田に到着した。

本日は天候不良のため、到着が大幅に遅れたことをお詫《わ》び申し上げます、とアナウンスがあった。

シートベルトをはずした瑞江は、荷物を取り出すと、タラップを小走りに降りる。

もうじき、逢《あ》える。あとわずかの距離だ。

すぐに京浜急行線の乗り場に降りる。思わず駆け出してしまう。

ようやく、一年ぶりに、あの薄くてひんやりした唇に触れることができる。

買い物より何より、まっすぐ部屋に向かうことにする。せめて冷蔵庫に瑠木の好きなビールくらい冷やしておけばよかったのに、部屋の中はまるで空っぽのままであったことが口惜しくなる。

そのとき携帯電話が鳴った。

デイパックのポケットから慌《あわ》てて取り出し表示を見ると、妹からだった。

「聡里《さとり》ちゃん、何かあった？」

すでに車両がホームに停まっている。出発を知らせる合図が鳴り響く。

三歳年下の聡里は、女子大を出て銀行に勤め始めた。早く家を出なさいと言っているのに、女子行員の給料ではとても独り暮らしはできないからと先延ばしにしてきた。銀行の業務が深夜に及ぶ時期も、母は翌朝には、いつまで寝ているのかとか、化粧が濃いのではないかとか、何かにつけて干渉するのだそうだ。

すぐにとび乗りたい気持ちだが、瑞江はただ一人の妹のことを気にしている。

「大丈夫なの？　聡里ちゃん」

「大丈夫って何が？」と、雑音の中で妹ののんびりした声が響いて来る。

「ごめん。またあの人が何かしたのかと思ったから」

短い沈黙がある。

「ママなら側にいるの。話したいからって。替わっていい？」

乗客を満載した車両のドアが閉まり、デイパックにボストンバッグを提げた瑞江を残して、出発してしまう。次の時刻を目で追う。一本遅れたからといって、この一年が消えてしまうわけでもないはずだと小さく深呼吸をする。

「替わっていいけど、聡里ちゃん、何かあったらすぐに逃げるのよ。もうあなたはどこでだってやって行けるんだから。私のところに来たって構わないんだからね」

言い終わるか終わらないうちに、電話の向こうの声は急に嗄《しわが》れた。

「もしもし、東京なの？　瑞江」

母が電話の向こうから溢れだし、瑞江を支配しそうに思えた。金縛りにあったかのように、うまく声が出せない。

「今着いたところ」

今日瑞江が帰京することを知って、母は電話をして来たに違いない。心の中にそうして入り込まれるだけで、息苦しくなる。

「ねえ瑞江、もう帰ってきたらどうなの？　東京にいなさいよ。あの男をいつまでもそうして……」と、続きそうになったときに、瑞江が唯一《ゆいいつ》できたことは、電源を落とすということだった。

幾度もため息をついた。体の中に入り込んだ母の気配を追い出してしまいたかった。

もう二度と、自分を侵されたくはないのだった。

いや、自分にも甘えがあった。

そう、ちょうど瑠木の大雪山行きが正式に決まったときだった。第三セクターの仲介で、中腹の天然温泉の湧《わ》き出し口付近での山小屋建設の許可がようやく下りた。もう付き合い始めて二年が経《た》っていた。

瑞江は、その時、瑠木のそばで過ごしたいと願っていた。彼と一緒に日々を語り、一緒に眠り、家族になりたかった。子供に恵まれることさえも夢見た。ヒマラヤや南極には一緒には向かえないにしろ、大雪山ならこの国の中なのだし、一緒に連れていって欲しいと願った。山小屋の準備なら、何か女の自分にもできることはあるのではないか。

幾度もその話をしたが、瑠木は取り合ってもくれなかった。

「まだ水道も電気もない山小屋なんだ。いつ雪崩《なだれ》に巻き込まれるかもわからない」

「もう離れているのは嫌なの。あなたが連れていってくれないなら、私はリュックを背負って、自分で地図を広げて山を登って行くわ」

瑞江がどんなに真剣な顔をしても、瑠木は相手にしてくれない。

そのうち瑞江は、一人で東京近郊の山を登り、山小屋を泊まり歩き、その先々で写真を撮ってノートを作り始めた。山小屋への感想や自分なりのアイディア、野の花を摘んでそっと飾っていた部屋がきれいだったことや、食器は陶器の方が温《ぬく》もりがあると感じるが、学校給食の払い下げ品などを使うのも、むしろ面白いのではないかというようなことを素人《しろうと》ながらに記していった。山道具も、専門店へ行って一つ一つ説明を聞き、自分に合ったものを揃《そろ》えていったのだ。

「君の細い足が、ちゃんとあの山を登ったの?」と、山梨県の瑞牆山《みずがきやま》に日帰りで登った頃には、彼女を認めてくれるようになった。

「ねえ知ってる? 山岳雑誌によく登場する有名なロッククライマーの女性は、私と同じ、元バレリーナなんですってよ。体が柔らかくて足が大きく開くのが、ロッククライミングには向いているんですって」

瑞江が喰い下るものだから、瑠木の心はしだいに傾き始めたらしい。

「仲間たちに話してみるよ。確かに僕らの計画に、君のような視点は欲しいところかもしれないよな」寝しなにそんなことを言って、瑞江を喜ばせてくれていたはずなのだ。

だが、出発を目前に控えた日のことだった。

「やっぱり無理だよ」と、瑠木は突然、青い顔で言った。「理由なんてないけど、一緒に行きたくないんだよ。何だか今回は嫌なんだ。何故《なぜ》なのか気持ちがすっきりしない。気持ちに嘘《うそ》はつけないよ」

「私が嫌いになったの?」と、瑞江はその頬に触れてみたが、指をそっと払われた。

「そんなことは言っていないよ。だけど、遊びに行くんじゃないんだからさ。完成したら必ず君と一緒に行くから。——もう子供みたいにむきにならないでくれよ」

まるで幼い子をあやすように言った瑠木のにやついた顔が、瑞江は許せなかった。

そのとき急に、激昂《げっこう》したのだった。

瑠木の髪を摑《つか》むと、振り回そうとして、その手を押さえられた。

彼の腕に嚙《か》み付くと、全身でもがいた。この男を絶対に一人で行かせたくはない。失うのが怖かった。光を失うに等しいことだと瑞江は真剣に思った。

ふと、窓ガラスに映った自分の顔が目に入った。髪の毛を振り乱し、目と口角を吊《つ》り上げた顔。たった今、母の中にいた鬼が自分に乗り移ってきた。そう感じると、あんなに憎んだ母の住む実家へと、瑞江は駆け込んでいた。

玄関をノックすると、母が目の前に立っていた。「鬼を追い出してちょうだい!」「私を、元に戻して」と、口にしていた。

「何を言っているの、瑞江。そんなに震えて、どうしたの?」と、母は柔和に笑った。皺《しわ》の寄った手で、瑞江の頭を撫《な》でてくれた。

子供のときのように、瑞江は小さくひきつけをおこしながら、心が鎮《しず》まっていくのを感じていた。

あんなに恐れた母の胸の中で慰められていた。

やがて台所から心地よいリズムの音が聞こえ、夕食の準備が始まった。風呂《ふろ》が沸かされ、布団《ふとん》が敷かれた。清潔で温かな布団で、瑞江が安堵《あんど》して思わず眠りかけたときだった。

がさごそという音がした。がさごそ、がさごそと動物が貯蔵庫を探しているような音が聞こえ、瑞江はそっとリビングのドアを開けた。

やはりそこには、鬼がいた。瑞江のバッグの中味をすべて抜き出し、周囲に散乱させていた。何が知りたかったのか。何を調べ出してどうするつもりなのかはわからない。ただ母は、相変わらず鬼だった。立ちすくむ娘に、「わかったろう? お前だって、私と同じなんだよ」という眼を向けたのだ。

染まり切らない白髪が、赤茶色に汚れて見えた。母の血が溶け出しているようだ。いつになったら、そのすべてが溶け出してくれるのだろう。

「よかったわ、鬼がまたそこへ帰ってくれたみたいだもん」というのが、瑞江のせめてもの捨て台詞《ぜりふ》で、もう二度と実家に帰るつもりはない。

京急蒲田《かまた》の駅で、また大勢の人が乗車してきた。

泉岳寺の駅に降りたらすでに十一時を回っていた。北海道とはまるで違った生暖かい夜の、少しねばり気のある淀《よど》んだ空気が広がっていた。

約束の時間には、何とか間に合ったようだ。

瑞江は、駅の階段を駆け上がると、そのままの勢いでマンションに向かって走った。

瑠木が帰って来るという日には、いつもこうして走っているような気がする。だったら前日から部屋でじっと待っていたらいいのに、それができない。鼓動が口から溢《あふ》れそうになる。逢いたいという思いが重しになって胸を押しつぶしてくる。

頬が火照《ほて》っていた。

東京はすでに春だった。

泉岳寺の境内で桜の古木が花をつけているのが見えた。瑠木も見たろうか。いや、今でなくてもいいという気持ちと、もう一枚、こうして予定よりも遅れたついでに写真を撮りたいという気持ちがぶつかった。坂を上がりかけた瑞江は、立ち止まって写真を撮った。

この色なのだ。

いつも、心がこの色に染まる。瑠木を思うとき、彼を待つとき。こうして瑠木に会うために体が自然と走り出すとき、いつもこの色になる。

最後は登り坂だ。ここを上がり切ると、道なりにカーブを曲がった角のところの左手に赤茶色のマンションがある。築三十年を超える建物で、壁にはひび割れが目立つようになっている。

オートロックもない、ガラスの両扉をあけて、速度の遅いエレベータに乗った。がくんとエレベータが止まる。瑞江は、荷物を手に降りる。405号室だ。ひんやりとした廊下を伝い、部屋の前で息を整えた。

額に落ちてきた前髪を、指で耳にかけた。

瑠木には、一年分、歳《とし》を取ったと思われるだろうか。全然、変わらないねと言ってくれるだろうか。

鍵《かぎ》がかかったままだ。瑠木は必ず中からインロックする。

声も上げずに、鍵を開いた。かちり、というその音とともに瑞江の鼓動が爆発しそうに速くなっていった。

懐《なつ》かしい匂《にお》いがする。部屋の中に、満ちて漂っている。「ただいま」と、瑞江は言った。いや、本当は「お帰り」なのかもしれないが、言った先に瑠木の変わらぬ笑顔があるからだ。やはり日に焼けていて、白い歯を見せて笑っている。髭《ひげ》もじゃの顔で、目尻《めじり》にたくさん皺を寄せている。

冬山の荷物が、今年も同じようにすでに部屋の中に置いてある。レキのポールも、リュックに二本、刺さっている。去年の春とまるで同じだ。

彼は何も言わずに、瑞江のキスを受け取る。薄くて冷たい唇から、ようやく離れる。

「飛行機が雪で遅れたの。こちらはすっかり春めいているというのに向こうはまだ雪でした。私はまた、ニセコから千歳へ直接向かわずに、モエレ沼公園に立ち寄ってきたわ。写真も撮った。カメラマンのあなたに言うのも何ですけど、だんだん写真の腕が上がってきた気がするの」

瑞江は、上擦った心を落ち着かせようと、いつものように一方的に話してしまう。

瑠木はそれを笑ってみている。

もう一度瑞江のキスを受ける。触れた、と思う。ときめきが温もりになって瑞江の心を溶かしていく。

「よかった、まだ間に合って」と、瑞江が、窓を開ける。新鮮な春の夜の空気と一緒に、東京タワーの夜景が目に入ってくる。「まだ明るくて、とても綺麗《きれい》。今では私はもう東京の人間じゃないみたい。なんだか見知らぬ土地にいるみたい。あなたの方は、どう？」

そこまで呟《つぶや》くと、瑞江は感極まって泣き出しそうになる。歯を嚙み締めるようにぐっと堪《こら》えて、バスルームに向かい湯を張った。

ひどく空腹のような気もするが、さきほど機内でビールと一緒に口にしたスナック菓子が体力をなんとか、つないでくれている。

午前零時頃になると、東京タワーの灯は消えるはずだ。

ぱちんと音を立てるかのように、消える。

瑠木は同時に瑞江に手を伸ばして抱き締めるのだろう。その時間までは、互いの中に一年離れていた分の照れがある。

だが、東京タワーの灯さえ消えれば、髭を彼女の頰に擦《こす》り付けて、くすぐってくる。

その髭からは、少し焦《こ》げたような匂いがする、はずだ。

瑞江の携帯電話が鳴った。湯が流れる音の中で、着信音がくぐもって聞こえた。

「はい、はい、そうですね。今年も……お元気ですか？……私も、変わりありません」と、瑞江は答える。

高梨静子も、約束の時間に電話をかけてきた。

瑞江はしばらく静子の声を聞いた後に、瑠木に替わってやる。何を話しているのだろうか。しばらくして通話は切れる。

それから程なくして、窓の外で東京タワーの灯《あか》りが、この春の夜を名残り惜しむように消えていったのを瑞江は眺めた。

窓の外はすっかり華やぎが消え、部屋の中の気配だけがむっと色濃く浮かび上がる。バスルームからの湯気が、冷えきった部屋に溢れ、漂ってきた。丸く潰《つぶ》れたようなそれぞれの湯気の紋様は、プラタナスの斑《まだら》とよく似ている。

改めて、デイパックからノートを出す。そこには、大雪山の雪景色も、雪解けの山にひっそりと白い花穂《かすい》をつけるヒトリシズカや、ミズバショウの純白の苞葉《ほうよう》もある。デジタル画像から、モエレ沼の写真と、ついさっき見た桜をプリントアウトして、それぞれに貼《は》り付ける。

瑠木の前に、静かに置いてやった。

彼はそれを見て、また目を細めてくれた。ありがとう、と告げたようにも聞こえたし、もういいんだよ、と囁《ささや》いたようでもあった。

おふくろも、そう言っていたろう？

瑞江は、そんな瑠木に生意気な口を返す。

「迎えに来るって言ったのは、あなたよ。私は、いつでも大丈夫なように準備してる。出会った頃から変わらない」

瑠木の唇は冷たい。その頬も、冷たい。

彼は、五年前のその日、冬の大雪山系で、すべての温《ぬく》もりを消してしまった。

今はシルバーのフレームの中で、笑っている。トムラウシ山頂付近から滑落する寸前に、瑠木が貴女《あなた》に見せようと自分で撮った写真なんですよ。一緒に山に入っていたメンバーから葬儀のときに聞かされた。

――やっぱり、一緒に来たらよかったかなって言いながら、雪景色を、一生懸命撮っていましたよ。

バスタブの湯が満ちあふれ、瑞江はソックスを脱いで、裸足《はだし》で近付き、蛇口を締めた。

それでもなお白い湯気が、部屋の中に立ち籠《こ》めていた。やがて、瑠木の太い腕が伸びてきて彼女を抱き締めようとする。足の指先をくすぐる。

――もう忘れたっていいじゃないか。

と、叫んでいた母の声。

――瑞江さんが不憫《ふびん》で、いたたまれないのよ。もう忘れてやって下さい。主人も心配してるんですよ。

繰り返した高梨静子の声が、やはり靄《もや》のように頭の中に籠る。

だが、すでに瑠木は瑞江をソファに押し倒し、彼女を夢の中へと誘《いざな》い始めている。

「ねえ、あなた、まだ春の休みは長いのだから、私をゆっくり抱いて下さいね」と、瑞江は静かに話しかける。

返事はない。

ただ淡い桜の花びらの色の影が、彼女をゆっくり満たしていく。

海辺食堂の姉妹

阿川佐和子

阿川佐和子（あがわ・さわこ）
一九五三年、東京生まれ。慶應義塾大学卒業。報道番組のキャスターを八年つとめ、ワシントンD.C.のスミソニアン博物館でボランティアを経験。帰国してからはエッセイスト、インタヴュアー、小説家として活躍中。一九九九年、檀ふみとの往復エッセイ『ああ言えばこう食う』で第15回講談社エッセイ賞を、二〇〇〇年には初の小説『ウメ子』で第15回坪田譲治文学賞を受賞。近刊に『空耳アワワ』『ピーコとサワコ』（共著）『スープ・オペラ』『婚約のあとで』『残るは食欲』がある。

海沿いの町のはずれに、こぢんまりとした食堂が一軒、立っている。入り江に囲まれた穏やかな海岸の小高い石垣の上。白いペンキで塗られた木造二階建てのその店の持ち主は、もはや妙齢と形容するにはやや歳《とし》を重ね過ぎた、一つ違いの姉妹であった。住居と兼用になったその店を、海を見渡すこの土地に建てて食堂を始めたのは彼女たちの父親である。まだ娘たちがほんの幼児の頃のことだった。

父親である男は、ここから数十キロ離れた都会に生まれた。裕福な家庭で何不自由なく育ち、一流の大学を卒業したのち、親の望みに応《こた》えて町でいちばん大きな銀行に勤めた。まもなく窓口係の、満月のように丸顔で気立てのいい女性と恋に落ち、周囲に祝福されて結婚する。仕事も家庭も安定し、男はそんな毎日に何の不満も感じていなかった。格別の才能にも容貌《ようぼう》にも恵まれていたわけではない。これといった野心もない。こういう平凡な人生が、自分の性格には合っていると、男は心の底から納得していた。

しかし、平穏な生活は、嵐《あらし》に遭った小舟のように一瞬にして崩壊した。大株主だった会社の経営が傾いて、銀行は多額の不良債権を抱えた。このままでは銀行の存続そのものが危なくなると判断した上層部が、男に数字の書き換えを命じた。嘘《うそ》の会計報告書を出せと言うのである。

「会社を救うためだ。理解してくれ。この場さえ乗り切れば、すぐ元通りになる」

誰よりも信頼していた上司の苦しそうな顔を見て、男は異論を唱えることができなかった。

稚拙な悪だくみが隠し通せるものではない。早晩、事件は明るみに出て、男は何度も警察に呼び出された。記者会見の席でマスコミの冷たい視線と激しい非難を浴びながら、一言の言い訳も許されず、上司と並んで細い身体《からだ》をただ深々と折るしかなかった。

幸い男自身は半年間の減給だけで、刑罰を負わされるほどの処分には至らなかったが、男の周辺には逮捕者も数人出た。しかし、偽りの会計報告書作成をそもそも指示したにちがいない銀行の幹部連中には、警察や所轄《しよかつ》官庁から何のおとがめもなかった。

数ヶ月後、一連の騒動がようやく収まりかけたある日の夕刻、男はいつものように自分のデスクを片づけて、家路につこうとコートのそでに腕を通しかけた。そのとき、ふと口をついて出てきたのである。

バカバカしい……。

言ってから、とても気持が軽くなったことに気がついた。よく効く胃薬を飲んだあとのような爽快感《そうかいかん》である。バカバカしい……。男はもう一度、遠慮がちに呟《つぶや》いてみた。今度は笑いがこみ上げてきた。呼吸も楽になっている。

男はまわりに気づかれないよう、口に手を当てて、こみ上げる笑いを堪《こら》えながら銀行の裏口を出た。しばらく歩き、それから空の弁当箱が入ったアタッシェケースを前後に振って、スキップをしてみた。カタカタと弁当箱が鳴っている。子供の頃に返った気分だ。スキップのリズムがつくと、彼はもう一度、誰に聞かれてもかまわないほどの大声で叫んでみた。

バッカバッカしいぜえ。

断るまでもなく、物語の主人公はこの男ではない。そう、海辺に立つ古い食堂の話をするつもりだった。読者もすでにお察しのとおり、こうして男はきっぱり銀行に別れを告げ、人生の大転換を計ったのである。

ある日曜日、男は妻と幼い娘二人を連れてこの海辺へやってきた。砂浜で波と戯《たわむ》れる子供たちの様子を見ているうち、ふと見上げたら、後ろの石垣の上に廃屋があった。男の目はその小屋に釘《くぎ》付けになった。何とも言えぬ郷愁が蘇《よみがえ》ってきたからだ。昔、ここに住んでいたわけではない。かつてこの場所に来た記憶もない。それなのに、なぜこれほどに懐《なつ》かしいのだろう。男はその瞬間に決心した。ここに住もう。小屋をきれいに建て直し、ここで食堂を始めるなんていうのはどうだろう。贅沢《ぜいたく》さえ望まなければ、今まで夫婦でコツコツ貯《た》めた貯金でなんとかまかなえるだろう。

妻は夫の突飛な申し出に反対しなかった。それどころか、むしろ喜んだぐらいである。

「だいたい私もあなたも最初から銀行員なんて合っていなかったんですよ。あー、楽しみ。メニューを考えなくちゃなりませんわね。カーテンは何色にしたらいいかしら。台所には少しだけお金をかけていいですか。使い勝手が悪くちゃ効率よくお客様にお料理をお出しできないですもの。二階は私たち家族の住まいにしましょうよ。ああ、考えることがいっぱいあってどうしましょう。忘れかけていたけれど、子供の頃からこんな小さな食堂を持つのが夢だったんです。あなたのおかげですわ。絶対、この町いちばんのお店にしてみせますから、私に任せてくださいな」

妻は顔だけでなく、性格も満月のように円くて明るかった。二人の子供を産んだあとみるみる膨らんだお腹《なか》と太い腕をブルンブルン揺らして大らかに笑った。

男は妻が言うほど将来を楽観的に考えることはできなかったが、妻の言葉に後押しされた。家族四人が健康に、ひもじい思いをしない程度に生きていければじゅうぶんだ。上司の顔色や、めまぐるしく移り変わる世の中の情報にびくびくしながら毎日を過ごすより、この海岸で、二階のバルコニーの揺り椅子《いす》に腰を降ろし、海の向こうに落ちていく夕陽を静かに拝むことのできる生活のほうが、どれほど幸せかということを、男はしみじみと悟ったのであった。

長い年月が経《た》ち、店は妻が約束したとおり、町いちばんとまではいかずとも、そこそこに評判の食堂として繁盛《はんじょう》していた。二人の娘はのどかな海辺の環境と、新鮮な魚や野菜を使って作る母親の料理のおかげですくすくと育ち、店の手伝いもよくする働き者の、心優しい女性に成長していた。

ただ一つ、男には気がかりなことがあった。娘が揃《そろ》って二人とも、なかなか嫁に行こうとしないのである。

「いったいこんな田舎町では、あの子たちの眼鏡にかなう若者がいないのかねえ」

男はバルコニーの揺り椅子に細い身体を沈めて呟いた。いつものようにゆっくりと、椅子を前後に漕《こ》ぎながら満天の星空を仰ぎ見る。西南の空から一つ、小さな星が海へ向かって流れ落ちた。流星のかけらを受け止めた黒い海は一瞬明るくなり、その輝きを白い波の上にのせて少しずつ砂浜へと運んだ。その光景は、まるで夜空と語らう海の笑顔の余韻のようである。

男は自ら選んだ人生を悔いてはいなかった。悔いてはいなかったが、もしかして自分のわがままのせいで、娘の人生の選択を狭めてしまったのではないかという思いが、ときどき心を惑わせた。

「心配ありませんよ」

妻が桃の皮を果物ナイフでむきながらきっぱりと否定した。皮のむけたところを切り取って、小さな一切れをつるりと口に流し込む。あら、たしかに水っぽい。コンポート用に仕入れた今度の桃は、甘味が足りないと下の娘が文句を言っていたけれど、本当ね。先週買った桃のほうがずっと甘かった。明日さっそく八百屋さんに言って取り換えてもらわなければ。妻は心のなかで決めた。

「あの子たちは慎重なだけですよ」と妻は再び桃の皮をむき始め、言葉を継いだ。

「急いで結婚しなくたって、彼女たちの人生はまだ前途遼遠《りょうえん》なんですから」

むき終えた桃を皿にのせ、いちばん大きな切り身にフォークを突き刺した。それから妻は重い身体を起こして立ち上がり、桃の皿を夫の揺り椅子のところまで運んでいった。夫婦はこうして、店のピークが過ぎたこの時間になると、娘たちより先に二階へ引き上げて、バルコニーで果物を食べるのが長年の習慣となっていた。

階下からは、まだ残っている客の笑い声が響いてくる。一組のカップルがグラスを持って砂浜へ降りていった。酔っているのだろうか。女が男の肩に頭を持たせかけながら、おぼつかない足どりで歩いていく。ときどき鈴の音のような女の甲高い笑い声が波音に紛れて流れてくる。二人の足が止まり、そしてまもなく黒いシルエットが一つに重なった。

娘たちも気づいているかしら。二階のバルコニーからその様子を見ていた妻は思った。あんなロマンチックなことを、自分たちもしてみたいって、思わないのかしら。

心配ないと言った妻は、実は夫以上に娘の先行きに不安を感じていた。ことに気がかりなのは、下の娘のほうだった。

二人は姉妹とは思えないほどに正反対の性格であった。姉は明るくて社交的。明らかに母親の血を譲り受けていた。物怖《ものお》じすることがなく、誰とでもすぐ仲良くなる素質があり、店に来る客たちにはマスコットのように可愛《かわい》がられた。姉自身、人に喜ばれることが好きだったので、幼い頃から父親のあとをついて店内を駆け回り、テーブルの丈にも届かぬ小さな身体で一人前に注文取りをしたりした。放っておいてもこの子は自分で幸せを見つけるだろう。母親は姉の姿を見守りながら安堵《あんど》した。

一方、妹は極度な人見知りだった。客の前には出ていこうとせず、台所で母親の手伝いをすることを好んだ。料理を作るのは決して嫌いでなく、何時間でもオーブンの前にいられるが、店に出て接客をしろと命じられるや、たちまち二階の洋服ダンスのなかへ逃げ込んでしまう。店の常連のなかには、この家に娘が二人いることを知らない客もいた。

「なんだ、もう一人お嬢ちゃんがいたのかい」

ようやく気づいた酔客が赤ら顔で妹を呼び寄せてみるのだが、妹は台所へ引っ込んだきり出てこない。あるいは母親の大きな身体のうしろに隠れ、唇をへの字にして恨めしそうに客を睨《にら》みつけるだけである。そんな妹の愛想のなさに辟易《へきえき》し、なかには可愛げのない子だと不機嫌になる客もいた。この子には徹底的に料理の技を教え込み、どこへ行っても困らないように育てなければ。もし殿方の誰にも目をつけてもらえなかったとしても、一人で生きていけるだけの力をつけてやらなければ。母親は妹の頭をなでながら心に期した。

性格はこれほどに違う二人であったが、なぜかこよなく仲が良かった。客が姉の働きを誉《ほ》めてチップをはずもうとすると、

「妹もいっぱい働いてます。ほら、このサーモンを焼いたのは妹なの。妹は料理の天才なんです。恥ずかしがり屋だからここには出てこないけど、妹のことも誉めてくださいね」

姉は妹の評判をあげようと懸命になった。

姉と妹の役割分担は、大人になっても変わることはなかった。父親が膝《ひざ》を痛めて歩くことがままならなくなってからは、客の注文を受けたり料理を運んだりするのは、もっぱら姉一人の仕事となったし、かたやときどき心臓の発作を起こす母親が自慢のアップルパイを焼くときと、この店の名物ともなっている魚介のスパイシースープを作るとき以外、料理の一切は妹に任された。

店の切り盛りのほとんどを受け持つようになるや、姉妹は以前にもましてよく働くようになった。妹は姉に相談しながら季節ごとに新たなメニューを考案し、姉は姉で、汚れやほころびの目立ち始めた白いテーブルクロスを取り外し、鮮やかな青い木綿《もめん》の布に変えたので、店内はいっそうモダンで清潔な雰囲気に包まれた。

常連客に加え、海のシーズンになると家族連れや恋人同士が増えるのは昔からのこ

とであったが、しだいに男性客の姿が目立ち始めた。数人で、あるいは一人で入ってくる若者が増えたのは、姉と妹が店を仕切り始めてからのことである。若い漁師たちは海で釣ってきた魚を持ち込み、姉のまわりには笑い声が絶えなかった。若い漁師たちは海で釣ってきた魚を持ち込んで姉に捧《ささ》げ、花市場で働く若者たちは、売れ残った花の束を新聞紙にくるみ、恥ずかしそうに姉に手渡した。そんな表のにぎやかな光景を、妹は台所の小窓からときどき覗《のぞ》いては、一人で微笑《ほほえ》むのであった。

「まあ、すごい！　こんなにたくさんくださるの？　これから一週間、私と妹の指は皮むきで腫《は》れ上がっちゃいそうだわ。ねえねえ、ちょっとこっちへ来てごらんなさいよ。こんなにたくさんジャガイモをいただいたのよ！」

姉が台所にいる妹をしきりに呼び出した。隣村の農場主の息子が仲間とともに大量のジャガイモを運び込んできたのである。

「ほら、こんなにいっぱい。これであなた、きっとクリームスープを作るわね」

台所との境の扉の隙間《すきま》にちょこっと顔を出した妹に向かい、姉はうれしそうに叫んだ。そして農場主の息子を振り返り、付け足した。

「妹の作るスープは絶品ですよ。必ず食べにいらしてくださいね」

すると扉の陰から妹が珍しく、遠慮がちに声を発した。

「スープもいいけれど、ポテトコロッケにしてもおいしいと思うわ」

いつもほとんど客の前で口をきくことのない妹が発言したのである。姉も常連客も農場の若者たちも驚いた。

「そうね、それがいいわ。ポテトコロッケにするほうがジャガイモの味が活《い》きるわね。ほらね、私の妹は本当に料理の天才なんですよ。ポテトコロッケを食べにいらっしゃりたい方は、今から予約をお受けします。材料費は無料ですもの。格安料金でお出ししますわ」

商売上手で妹思いの姉の声は、店じゅうに響き渡った。

その晩遅く、店を閉めたあと、姉は皿洗いをしながら妹に語りかけた。

「ねえ、今日、ジャガイモをくださった隣村の農場主の息子さん、あなたに気があるみたいだったと思わない？」

妹はきれいに洗い上げたグラスを、慣れた手つきで一気に六つ持ち上げて、食器棚にしまった。

「何言ってるの、姉さんたら。みんな姉さんに夢中なのよ。誰だって姉さんの魅力にはまいっちゃうの」

「そんなことないわ。あなたに興味のある若者もたくさんいるはずよ。たとえばロッド船の船長の息子さんなんて、店に来るたび首を曲げて台所を覗《のぞ》こうとばかりしているわ。彼、あなたとお喋《しゃべ》りがしたくてうずうずしているのよ」

「彼の興味は何を食べようかということだけ。台所から流れてくる料理の匂《にお》いを嗅《か》ぎ分けたいからよ」

姉はスポンジに洗剤を足して、手を止めた。

「じゃあ……、あの人はどうかしら。ほら、毎週火曜日の七時きっかりに一人でやってきて、いちばん隅の席で食事をしていく銀行員。彼、出納係《すいとうがかり》だって言ってたわ。大人しいけれど、とても誠実そうな人よ。彼って、あなたと気が合いそうな気がするの」

妹は細い身体《からだ》のわりに案外力持ちである。大きな寸胴鍋《ずんどうなべ》に水を張り、ガス台にかけた。明日のスープの準備に取りかからなければならない。

「私、銀行員には興味がないわ。それより姉さんはどうなの？　誰がいいの？　それともうおつき合いしている人がいるの？」

「バカね、いるわけないでしょ」

姉はひと通りの皿洗いを終えるとエプロンで手を拭《ふ》いて、冷蔵庫から洋梨《なし》を一つ取り出した。白い中鉢と果物ナイフとフォークを二つ添え、両手で抱えると、

「だいたいね、あなたのことが心配で恋人なんか作る気になれないの。あなたに好きな人ができたら、私も考えるわ」

「やあね、姉さんったら。私のせいにして。そういうことって普通は姉から先に決めるものなのよ」

妹の言葉を聞き流しながら姉は台所を出て階段をのぼり始めた。

私はいい。問題は妹だわと姉は思った。私に気がありそうな若者はたくさんいる。こちらが心を開いたらすぐ本気になりそうな男ばっかり。でも簡単に彼らの言いなりにはならないわ。だって妹が心配ですもの。あんなに台所にこもりきりで、鍋を相手にしかお喋りしないいんじゃ、誰も寄りついてきやしない。私がなんとか手助けしてあげないと、妹は一生、台所から出られなくなってしまうでしょう。それじゃあまりにもかわいそうだわ。とにかく店に来る若者に片っ端から声をかけて、妹の魅力も知らせてあげないと。

姉は階段をのぼり切ると、両親のいる寝室のドアをノックした。

「母さん？　洋梨を持ってきたわよ」

階下の台所で妹は、寸胴鍋にその日残った野菜のくずを入れていた。セロリ、玉ねぎ、パセリの茎、ポロねぎ、ニンジン。そして最後に冷蔵庫から取り出した鶏《とり》を一羽、まるごと鍋に突っ込んだ。こうして夜のうちにスープを煮込んでおけば、翌日の作業が楽になる。スープが煮立つまで、ついでに今日いただいたジャガイモも洗っておきましょう。明日さっそくポテトコロッケを食べたいと言い出す客がいるにちがいない。そうだ、明日、お肉屋さんに電話して、牛のひき肉を持ってきてもらわないと。ポテトコロッケにはひき肉が欠かせない。たくさん作って冷凍にしておけば、また一つ、新しいメニューに加えられるわ。

妹が裏の物置小屋からジャガイモを運び込み、流しに移そうとしたそのとき、

「キャアー!」

二階から悲鳴が聞こえた。

「どうしたの? 姉さん、何があったの?」

返事がない。妹は、手にジャガイモの泥をつけたまま、慌《あわ》てて階段をあがった。寝室のドアを開けようとすると、姉が引きつった顔で飛び出してきた。

「母さんが、倒れたの。急いでお医者様を呼んでちょうだい」

死因は心臓病だった。

あまりにもあっけない妻の死に、夫は茫然《ぼうぜん》とした。娘たちでさえ父親のこれほど

弱々しい姿を見たことはない。妻の葬儀が終わったあとも、男はいっこうに元気を取り戻す気配がなく、一日じゅう二階のバルコニーの揺り椅子《いす》に座ったきり、ほとんど口もきかなくなった。娘たちが交替で男のそばに付き添った。が、いくら慰めても、温かいスープを運んでいっても、男はかすかに笑みを浮かべ、か細い声で「ありがとう」と答えるのが精一杯だった。そして、妻の死からちょうど一ヶ月後の、夏の盛りの夕暮れどき、夕陽が海のかなたに落ちると同時に、男は揺り椅子に腰を掛けたまま、静かに息を引き取った。

立て続けに両親を失って、姉妹は途方に暮れた。父と母は元気でそばにいるのが当たり前とずっと思い込んでいたのである。こんなにあっさり別れることになろうとは思ってもいなかった。もう二度と母が作るアップルパイを食べられない。ギイギイ軋《きし》む父の揺り椅子の音を聞くこともない。とうとう本当に、私たち二人でこの店を守っていかなければいけなくなったのだと姉は覚悟した。

「でも大丈夫。今までだって二人でちゃんとやってきたんですもの。これからだって大丈夫よ」

つくづく姉は母親とよく似ていた。心で多少の不安を覚えていても口では楽観的なことを言ってしまう癖がある。大丈夫。その言葉を吐くことで、自分にも大丈夫と思い込ませたかったのであった。

しかし妹は、父親に似てものごとを悲観的に捉《とら》える質《たち》だった。姉の言葉に頷《うなず》いて、気丈にふるまってみせるものの、心のなかは殻だけ残った貝のように空っぽになっていた。財産整理や雑事をこなしながら店の営業を続けるうちに過労がたたり、とうとう妹は高熱を発して寝込んでしまった。

シェフが倒れてしまっては、店を開けることができない。しかたなく姉は店の表看板の横に、「しばらく休業」の札を出した。この「しばらく」が、いったいいつまでのことになるのか、予測がつかなかった。

姉はカーテンを閉め切って薄暗くなった店のテーブルの前に腰をかけて考えた。蒸し暑い日であった。ガラス戸を少し開けて風を通してみる。海から上がってくる湿った空気は夏の匂いに満ちていた。砂浜には家族連れの海水浴客が来ているのだろう。あちこちから子供たちの歓声が聞こえる。姉は風にゆれるカーテンを手で押さえ、キラキラ輝く海の向こうを、目を細めて見渡した。

妹の熱は四日経《た》っても下がる気配がない。往診に来た医者は「極度の心労と過労で身体が弱って、夏風邪をこじらせているだけです。しばらく休養を取れば元気になるでしょう」と言ったが、ベッドで眠り続ける妹のやつれた寝顔を見ていると、もしかしてこのまま死んでしまうのではないかとさえ思われた。食事はほとんど喉《のど》を通らず、夜中に決まってうなされる。妹が日に日に痩《や》せ衰えていく様子を見ていると、姉はたまらなく心細くなった。そして、もしこの店に私一人が取り残されたらと思うと、暑い夏の最中だというのに、姉の身体に悪寒《おかん》が走った。姉は珍しく楽観的に考える力を失っていたのである。

神さまはどういうおつもりでこんなにたくさんの試練を一度にお与えになったのだろう。こんなとき、頼りになる男の人がそばにいてくれたら、どんなにか心強いことでしょうに。……と、ふとガラス戸の外の、家の外壁が姉の目に留まった。白いペンキがだいぶはげかけている。業者に頼んで塗り替えをしてもらいたいが、お金がない。もし誰か最愛の男の人がいてくれたら、このペンキの塗り替えだってしてくれるだろうに。でも、私は一人ぼっち。一人でこの試練を乗り越え、一人でペンキの塗り替えもしなければならない定めなのだ。姉の目から、知らず知らずのうちに涙が流れてきた。

涙に曇った瞳《ひとみ》の向こうに、人影がよぎった。姉はエプロンで涙を拭いて、目を凝らした。砂浜を、ジャガイモをくれた農場主の息子がこちらに向かって歩いてくる。そしてとうとう店の前までやってきた。ガラス戸越しに姉の姿を認めると、軽く会釈《えしゃく》をした。

「まあ、いつぞやはありがとうございました。ごめんなさい。店はしばらくお休みしているんです。だから、まだポテトコロッケをお作りできなくて。実は……」と姉が説明しかけると、

「知っています。市場で聞きました。妹さんが病気なんですって？　容態はいかがですか？」

農場主の息子の額に汗が流れ落ちていく。姉は驚いた。この男は妹の容態を聞きにわざわざ来てくれたのだろうか。私がどれほど心細く思っているか理解しているのだ。

「なんてご親切なこと。残念ながら妹は熱がまだ下がりませんの。二階で寝ていますわ」

「会えますか？」と息子は聞いた。

「今は衰弱し切っているので、きっと妹も会いたがらないと思います。お見舞いに来てくださったこと、あとで目が覚めたときに私から伝えておきますから。それよりここで一杯、お茶でも飲んでいらっしゃいませんか」

姉は面会をやんわり断って、農場主の息子を店のなかに招き入れた。ここ数日、姉はずっと一人きりで考え事ばかりしていた。話し相手が欲しかったのである。

息子はしぶしぶ椅子に腰掛けた。節くれ立った大きな手には似合わぬ繊細なティーカップの取っ手を親指と人差し指で不器用につまみ、姉の淹《い》れた紅茶を一口すすった。息子はカップをソーサーに置いて目を閉じた。

違うと息子は思った。いつもの味と違う。薄すぎる。妹の淹れてくれる紅茶はいつも、濃すぎず薄すぎず、紅茶の香りがいちばん華やかに放たれる絶妙な味だった。思い出すと、息子はいたたまれない気持になった。

「お姉さん」と農場主の息子は厚みのある胸をテーブルに押しつけて、目の前に座ったふくよかな姉の顔を見つめた。息子の着ている洗いざらしの白いTシャツが姉の目にまぶしく映った。

「はい、なんでしょう」

姉は戸惑った。豊満な胸に手を当てて、身構えた。いったい何を告白されるのか。思えばこの男と二人きりで向かい合うのは初めてのことである。こんなことならもっときちんとお化粧をしておけばよかったと後悔した。

「僕は今日、車で来ています。いつものトラックではなく乗用車で。妹さんを、もっと設備の整った大きな病院へ連れて行こうと思ったからです。僕は心配でたまりません。これ以上病気が悪化する前に、ちゃんとしたお医者さんに診てもらったほうがいいと思うんです」

「まあ」と姉は思わず息を吐いた。「それほどまで妹のことを気にかけてくださるなんて……」

姉は感動した。胸を打たれ、テーブルの上に組まれた男の逞《たくま》しい手に自分の手を重ねようとした。そのとき、息子がすかさず手を引いて、再び口を開いた。

「妹さんは辛抱強い人です。少々の苦しみは一人で耐えてしまう人です。本当は辛《つら》いのに誰にも助けを求めないで、いつも我慢してしまう。でも今度こそ僕が助けてあげないと」

息子は俯《うつむ》いて、いちだん声を低くして言葉を続けた。

「僕は妹さんと約束をしたんです」

「え?」と姉が聞き返した。

「約束をしたんです。いつか、すぐにとは言わないが、いつか一緒に暮らそうって」

息子の目がさらに下を向いた。

「それはつまり、プロポーズをなさったってこと?」

姉の声が裏返った。「そうです」と息子は間髪を容《い》れず答えた。「ただ……」と息子は続けた。

「正直なところ、妹さんからまだはっきりした返事をもらったわけではありません。でも僕の気持はじゅうぶん伝わっているはずです。妹さんは、今は無理だと言いました。もし自分がこの家を出て行ったら家族に迷惑がかかる。だいいち姉より前に妹の私が幸せになるわけにはいかないと、妹さんは言いました」

「いったい……」と、姉は口ごもった。いったいいつのまに、あの人見知りの妹がこの男とそんなやりとりをしていたのだろう。まったく気づかなかった。私だけではない。きっと母も父も、誰も気づいていなかったにちがいない。

「妹とは、いつそんなお話を？」

姉はできるだけ冷静を装《よそお》って尋ねてみた。

「それは……」と農場主の息子は訥々《とつとつ》と語り出した。

妹と初めて口をきいたのは二年前のことだという。たまたま仕事の帰りにトラックでこの店の前を通りかかったら、妹が重い布袋を背負って、車と勝手口の間を行き来しているところだった。布袋はざっと見ただけでも七つ以上あった。これを一人で運ぶなんて、女性のする仕事ではない。息子はすぐに車を停めて妹を手伝うことにした。最初のうち、妹は息子の申し出を頑《かたく》なに固辞していたが、彼の誠意に打たれ、その日だけでなく、その後もときどき野菜運びや薪《まき》割りを手伝ってもらうようになった。以来二人は少しずつ親しくなっていったという。

「仕事のあと、妹さんとはいつも裏山の東屋《あずまや》で会うようにしていました。会えば会うほど、妹さんがどんなに愛らしくて優しい女性であるかがわかってきました。そして僕はいつのまにか恋に落ちていたのです。いや、最初に見かけた日から僕は妹さんに心を奪われていたのだと思います」

切々と語る農場主の息子の話を聞くうちに、姉は胸がドキドキしてきた。よかった。妹をこんなに想《おも》ってくれる男性がいたなんて。妹のことをこんなに愛してくれている人がいたとは。姉は薄い紅茶のおかわりを何度も農場主の息子に勧めた。

「お話ししてくださってありがとう。あなたの気持を妹はきっと理解していると思いますわ。私に気兼ねしていたなんて。バカな子ねえ。ごめんなさい。あなたにそんな辛い思いをさせてしまって。私のことは心配なさらないで。それより妹を幸せにしてやってくださいな」

そして姉は、妹を大きな病院へ連れていってくれるという息子の申し出を、とりあえず少し待ってほしいと言った。今お世話になっているお医者さまに相談したいと思ったからである。息子は少し残念そうに、しかし姉が「あなたがいらしたことは必ず妹に伝えておきますわ」と言うと、ホッとしたのか最後には笑みを見せ、「では、また来ます」と言って帰っていった。

姉はうきうきし始めた。早く妹が回復して農場主の息子と一緒にいるところを見てみたい。きっとお似合いのカップルだろう。結婚式はいつがいいかしら。両親の喪が明けるまでは我慢しなければ。来年の春か秋……。ウエディングドレスも選ばなくちゃならないわ。なんてステキなことでしょう。姉はまるで自分のことのように幸せな気分になっていた。

一人で興奮していると、店の玄関をノックする音がした。あら、またお客さま。休業中と書いてあるのに、どうしたことかしら。

ドアを開けると、ロッド船の船長の息子、若い船乗りが怖い顔で立っていた。

「突然にすみません。噂《うわさ》を聞いたもんで。ご両親のご不幸、何て言えばいいか……」

ゆるんでいた姉の顔がにわかに引き締まった。

「まあ、それはご丁寧に。急なことだったので私たちも動揺して、妹はショックのあまりに倒れてしまいました」

「それも聞きました。妹さん、大丈夫ですか？　お姉さんもさぞやご心配で……」

青い碇《いかり》の入れ墨が入った太い腕を前に伸ばし、船乗りは悲しそうな表情で姉を見つめた。なんと礼儀正しく優しい青年だろう。気弱になっていた姉はつい、船乗りの大きな胸に身を委《ゆだ》ねたい衝動に駆られたが、気持を押しとどめ、かろうじて礼節を保った。

「私もほとほと困り果てておりまして。お医者さまはしばらく休養すれば大丈夫とおっしゃるのですが、四日経ってもちっともよくならなくて。ずっと眠ったきりなんです。もうどうしてよいのやら……」

「四日も⁉」

船乗りは姉の言葉をさえぎってオウム返しをした。あまりの大声に姉の身体《からだ》は思わず飛び上がった。なにしろ裏山の向こうまで届くかと思われるほどの迫力だったのである。船乗りは普段から船上で互いに叫び合って作業をしている。そうしなければ命に関わる仕事なのである。だからといって感心している場合ではなかった。船乗りは姉の説明によほどショックを受けたらしく、筋肉のつまった太い両腕をぐるぐる振り回して叫び続けた。

「なんてかわいそうなんだ。そんなに苦しんでいるとは知らなかった。ああ、俺はどうしたらいいんだろう」

船乗りの身体が姉の目の前に迫ってきた。

「お姉さん、妹さんに会わせてください」

「え？　いえ、でも妹は今、誰にもお会いできる状態ではないんです。お気持はありがたいけれど、今日のところはちょっと……」

船乗りはそれを聞くと、悔しそうに唸《うな》り、さらに腕をぐるぐる振り回して家の裏手へ走り出した。船乗りは裏庭から、なぜ知っているのか二階の妹の部屋の窓をめがけて叫び始めたのである。

「ああ、我が愛《いと》しい人よ、俺の声が聞こえるかい？　どうか早く元気になっておくれ。俺は心配で心配で、夜も眠れないんだよ。君と会えるのだけを楽しみに航海から帰ってきたのに、君がこんなことになっていたんだもの。おみやげもたくさんあるんだ。インドで美しい赤い石を買ってきた。君の白い肌に絶対似合うと思う。ベトナムでは上等な絹の布地も買ったんだ。君のためにドレスを作ろう。そのドレスを着て踊りに行こうよ。だから早く元気になっておくれ。君がくれたお守りはずっと胸にぶらさげている。今度の船旅でもずっと一緒だった。俺は、いつも君がそばにいてくれるような気がしたよ。俺はまた長い旅に出るけれど、君のために毎晩、南十字星に祈ることにする。だから必ず元気になって。今度、帰ってきたときは、その愛らしい笑顔で俺の胸に飛び込んできておくれ」

そして船乗りは黙った。あたりは静かになった。が、いくら待っても二階の窓が開く気配はなかった。これでもし窓が開き、妹が出てきたら、まるでロミオとジュリエットのワンシーンだわと、船乗りの愛の叫びを後ろで聞きながら、姉は思った。

しかし、いくら待っても窓は開かない。

「よほど苦しんでいるんだね」

とうとう船乗りが世にも情ない顔で姉を振り向き、そう言った。と思ったら、突然、大声で泣き出し、姉のほうに走り寄り、地面にくずおれた。

「おお、そんなに泣かないで。妹はきっと元気になりますから」

姉は船乗りの重い身体を抱きかかえ、重心を失いそうになりながら、泣きじゃくる子供をあやすようにエプロンで涙を拭《ふ》いてやった。

「それにしても……」と、姉は船乗りが泣きやみかけたタイミングを見計らって尋ねた。

「妹とは、どこでそんなに……?」

若い船乗りは鼻水をすすり上げながら、今度はひどくか弱い声でポツポツと語り出した。

「俺はずいぶん前から妹さんが河岸《かし》に魚を買いに来ているのを知っていました。なんて可愛《かわい》い人かと思いました。でもなかなか声をかけられなかった。そうしたらある日、妹さんのほうから声をかけてくれたんです。俺が釣った大きな鯛《たい》を見て、『まあ、立派な鯛だこと。これは売り物ですか？』と。俺はちょうどその鯛を馴染《なじ》みの魚屋に売りにいこうと思っていたところだったんだけど、もちろんやめました。妹さんに無料で上げたんです。そうしたら妹さんはたいそう恐縮して、『では今度是非、私の店に来てください。お礼に料理をごちそうしますから』って。で、この店のことを知ったんです。それからというもの、俺と妹さんは、いつも入り江の先の灯台の下で会うようになったんです。お互いに忙しいからそれほど頻繁には会えなかったけど、でも妹さんはいつも俺に優しかった。そしてこれを……」

船乗りは首にかけたチェーンを持ち上げ、先についている金のコインを姉に示した。

「これを俺にくれたんです。航海に出る前の日に。俺が怪我《けが》をしないように。長い船旅で嵐《あらし》に遭わないようにって。俺、片時もこれを肌身から離したことはありません。いつも妹さんが守ってくれているって思ってるんだ。だから……」と船乗りはまた興奮して泣き出した。それはたしかに妹が小さい頃から大事にしていた、父親からもらった記念コインだった。

「まあ……」と姉はコインを見つめて、考えた。妹の本当の恋人は、いったいどちらの青年なのだろう。農場主の息子が本命だと思っていたが、この船乗りの話もまんざら嘘《うそ》とは思えない。もしかして、内気な妹は同時に二人の男に迫られて、断ることができないまま困っていたのかもしれない。それにしても案外、妹がもてることを知り、泣きじゃくる船乗りの背中をさすりながら姉は小さく微笑《ほほえ》んだ。若い船乗りはようやく泣き止《や》むと、最後にポケットから小さな紙の袋を取り出して姉に差し出した。

「これ、船乗りの間で昔から珍重されている中国の薬です。高熱によく効きます。一日三回、お湯で煎《せん》じてカップ一杯飲ませてください。俺が今、彼女にしてあげられることはこれぐらいです。俺にはもう彼女のいない人生なんて考えられません。お姉さん、どうか妹さんを元気にしてやってください。俺が来たこと、妹さんが目を覚ましたときに言ってくださいね」

「もちろんですわ。お会いできなくてきっと残念がるでしょうが、あなたからいただいた貴重なお薬を飲ませたら、必ず元気になりますとも」

姉は落ち込む船乗りを傷つけないように、言葉を選んでそう答えた。

「俺は明日からまた長い船旅に出てしまいます。おそらく三ヶ月は帰ってこられないでしょう。でも帰ってきたらすぐに飛んできます。だから妹さんに伝えといてください。俺が死ぬほど心配していたって。お姉さん、どうか彼女のことをよろしくお願いします」

若い船乗りは感動的に宣言し終わると、腕をぐるぐる振り回しながら、走り去った。

姉は不安になった。あれほどに妹のことを想ってくれている船乗りが、農場主の息子とかち合わなければいいけれど。明日から船旅に出るのはせめてもの救いだと姉は胸をなで下ろした。そして家のなかへ入ろうとしたとき、後ろから呼ぶ声がした。

「あのー」

振り向くと、見慣れぬ男が立っている。

「はい？」

「あのー、妹さんがご病気だとか……」

小柄で痩《や》せた男は大きな包みを大事そうに抱え、上目遣いで姉を見た。

「どちらさまでしょう」

姉は少し警戒した。妹の病気の噂がどうしてこんな見知らぬ男にまで知れ渡っているのだろう。そしてこの男は、いったい何の用事で来たのだろう。もしかして怪しい薬売りか、あるいは占い師のたぐいかもしれない。

「何のご用ですか」

姉はきつい言い方で、再び尋ねた。すると男は黙って膝《ひざ》を曲げ、抱えていた荷物を地面に置いて包みをほどき始めた。

「別に脅かすつもりではないのです。実は私は、その、突然、すみません……。その、私は町の靴屋でして……」

「靴屋さん？」姉は素《す》っ頓狂《とんきょう》な声を発して、男の手先を見つめた。包みのなかから箱が出てきて、その箱の蓋《ふた》を取ると、可愛らしい緑色の靴が現れた。男はその靴を大切そうに両の掌《てのひら》にのせ、姉の顔を窺《うかが》った。

「これ、私が作った靴なんです。その、妹さんに履いていただきたいと思って。その、妹さんがこういう靴を欲しいって、以前におっしゃっていたもんで。あの、押し売りしてるんじゃないんです。だから、プレゼントしたいと思って。その……」

靴屋の手にのった緑色の革靴には、三センチほどの木のヒールがついていた。縁に細かいステッチが縫い込まれ、前の部分には同色の控え目なリボンが縫いつけられている。

「この靴を、妹に？」

姉は先程とは打って変わって優しい声を出した。こんな品のいい靴を作る人が、とても悪人には思えない。姉は改めて靴屋を見つめた。人付き合いの苦手な職人らしい不器用な口ぶりと態度。それに反して靴を持つ手は小さいながら繊細でいかにも器用そうなかたちをしている。

「はい……」と靴屋は小声で答えた。

「妹は、以前にあなたのお店に伺ったことがありますの？」

姉は続けて優しく質問した。靴屋は少し安心したらしく、目を細め、うれしそうに答えた。

「はい。何度かおいでになりました。最初は作業用の靴が欲しいとおっしゃって。ヒールのない黒のスリッポンを買っていかれました。黒かベージュかと迷っていらっしゃったけれど、やはり黒のほうが汚れが目立たないとおっしゃって」

姉は思い出した。数ヶ月前、妹が町へ買い物に出かけたとき、黒い靴を買って帰ってきたことがある。それ以来、その靴をたいそう気に入ったらしく台所で愛用していた。裏がゴムだから滑らなくて履きやすいと自慢していたのを覚えている。

「ああ、お宅の靴だったんですね、あの黒い靴は」

「はい。で、その後も何度か……」

靴屋は少し恥ずかしそうに俯《うつむ》いた。

「で、妹は他にも靴を？」

「いいえ」と靴屋がすかさず返答した。「他には何も。でも店にはよく……」

姉は微笑んだ。

「妹はとても堅実な子なんです。贅沢《ぜいたく》が嫌いで。でもきっとお宅の靴が気に入ったので、覗《のぞ》いてみたかったんじゃないかしら」

「いえ」と靴屋は小声ながら即答した。「そうじゃないんです」

靴屋はきっぱりと否定した。

「そうじゃないって？」

姉は虚を衝《つ》かれ、聞き返す。

「妹さんは、僕に会いに来てたんです。妹さんは、僕のことが好きだったんです」

姉は目を丸くした。なんと図々《ずうずう》しい男だろう。勝手な思い込みをしているとしか思えない。姉は再び冷たい声に戻り、靴屋に尋ねた。

「それは、どういう意味ですか」

どうせろくな話ではないだろう。しかし、一応、男の言い分を聞いた上で追い返そうと姉は考えた。

靴屋は姉の厳しい表情に少し戸惑いながらも、静かに語り始めた。

「妹さんは、その黒い作業靴を買って数日後にまたウチの店にやってきました。私は妹さんのことをよく覚えていたので、『いかがでしたか、あの靴は』と尋ねたら、妹さんは小首を傾《かし》げ『まああだけど、少しきついの。小指が当たって痛いわ』とおっしゃったので、『じゃ、直して差し上げますから持ってきてください』と言うと、翌日、靴を持っていらっしゃいました。十分ほどで修理できますが、お待ちになりますかと伺うと、『向かいの喫茶店でお茶を飲んで待っているので届けてほしい』と。で、私は修理し終わった靴を喫茶店に届けに行ったんです。すると妹さんは、私にお茶を飲んで行けとおっしゃる。でも私は店の仕事があるからとお断りしたんです。そうしたら妹さんは『じゃあ、今度ね』とにっこり笑われた。それからというもの、妹さんはちょくちょく店にいらっしゃるようになりました。私が忙しいときは棚の靴を眺めたり、他のお客さんに靴を勧めて売ってくれたり、奥の作業場まで入ってきて、隣に腰かけて私の仕事をずっと興味深そうに見ていたり、そして休憩時間になると『さ、行きましょう』と言って私をお茶に誘い出す。私は、店の親父《おやじ》さんの目も気になるし、女性からそんなふうに誘われたこともないので、本当に困りました。で、あるとき勇気をふるって言ったんです。もう会いに来ないでくださいって。仕事の邪魔になるから困りますって。すると妹さんは、少し恨めしそうに私を睨《にら》んで、『いじわるね』と言って、おとなしく帰っていかれました。そして二度と店に現れなくなりました」

靴屋はしんみりとした表情で、緑の靴を何度も撫《な》で、思い出すように目を閉じた。

「それから私は反省したんです。妹さんが来てくれなくなってから、わかったんです。私は妹さんのことが、忘れられなくなってるってことに。でも自分から来るなって言ってしまったんですから。しかたないですよね。で、私は妹さんのために、心を込めて靴を作ることにしたんです。この靴を作り上げたら、妹さんを探し出して、謝ろうって。そしてもしまだ妹さんが私のことを好きでいてくれるなら、もう一度、つき合ってくださいと私からお願いしようと。そうしたら、町で噂《うわさ》を聞いて……」

「何の？」と姉は恐る恐る尋ねた。もしかして妹が他の男とつき合っているという噂かもしれない。

「病気だという……」

「ああ」と姉は安堵《あんど》して、安堵しすぎては怪しまれると思い直し、顔をしかめて悲しそうな顔をしてみせた。

「そうなんです。両親を失ったショックで」

「容態は……いかがなんですか？」

靴屋は遠慮がちに聞いた。姉は今までの経過を説明し、しかしきっと良くなるだろうと言い、靴屋を安心させた。

「では……」と、二人の会話が途切れたとき、靴屋はあたりを見渡し、一つ大きなため息をついてから、姉に告げた。

「私はこの靴を持って今日は帰ります。妹さんのお住まいがここだということがわかっただけで、それと、とりあえず容態を知ることができただけでよかったです。どうかお大事に。改めてお元気になられた頃を見計らって、また来ます。この靴を直接、手渡したいのです。だから今日、私がここに来たことは、どうか内緒にしておいてください。ご面倒をおかけして、すみません」

靴屋は緑の靴を静かに箱に収め、蓋をすると丁寧に紐《ひも》をかけた。そして、来たときと同じように靴の包みを胸に抱え、姉に一礼してトボトボと帰っていった。

姉は靴屋の後ろ姿を見送りながら、「まあ」と呟《つぶや》いた。しかしその「まあ」は、最初の訪問者である農場主の息子のときに発した「まあ」とも、二度目の訪問者の船乗りの告白を聞いたのちに出た「まあ」ともちがっていた。

妹は、いったいぜんたい、どういうつもりだったのかしら。農場主の息子にプロポーズをされて、船乗りのためにお守りを作ってあげて、そして同時に靴屋を好きになっていたなんて。

「まあ、まあ、まあ」

姉は自分の気持が混乱していることに気がついた。姉は今までずっと妹のことを、恋愛とは縁の薄い女だとばかり思っていた。内気で人付き合いが苦手で、女性としては不運な、つまりは男にモテない女だと思っていた。それが、どうしたことだろう。病気になったとたん、次々に妹を愛しているという男が現れるとは。しかも続けざまに三人も。これほど妹が男性の心を射止めていたとは思いも寄らなかった。

姉はしだいに胸苦しくなってきた。今まで自分は妹を哀れな女だと思っていた。そして自分のほうが女として数段、上だと思い込んでいた。容姿も性格も人気も、圧倒的に私のほうが勝っている。意識していたわけではないが、心の奥にそういう自負があったのは確かである。だから私は妹のことを素直に心配してきた。妹を不憫《ふびん》だと思うからこそ、自分には余裕があった。しかし、事実はちがった。哀れなのは私のほうだ。なんと妹に失礼なことをしたのだろう。私は姉として、いや、女として最低だ。

姉は家に入り、海を見渡すガラス戸の前に腰を下ろした。手には船乗りから受け取った中国の薬がある。よほど貴重な品なのか、金糸の縫い込まれた赤い絹の布で厳重に包まれている。こんな高価そうなものを、私は今まで男にプレゼントされたことはない。姉は考えた。妹は、私たち家族には見せたことのない女性としての魅力を隠し持っていたのだ。そのことに、私は気づこうともしていなかった。

いつのまにか海の色が変わっている。昼間の鮮やかな青色にかわり、暮れかけた陽の光に反射して、少しだけ茶色味をおびている。

「そろそろ……」と、姉は椅子《いす》から立ち上がった。そろそろ妹の様子を見に行って、薬を飲ませる時間である。姉は台所に入り、煮込んであった鶏《とり》のスープをスープ皿に入れてお盆にのせた。それを持ち、こぼさないよう気をつけながら階段を上がりかけたとき、玄関の扉が開いた。同時に赤い夕陽が勢いよく部屋に入ってきた。

「こんにちは」

やや高めの男の声がした。が、逆光で誰だか判別できない。

「どなた?」と姉は目を細めて聞いた。

「あのう、妹さんがご病気だと聞いて……」

姉は大きく息を吸い込んだ。四人目か……。姉はしばし目を閉じた。落ち着こう。今は落ち着くことが大事である。今度はいったい何をなさる方ですか。どこで妹と知り合って、どんなふうに妹と密会していたのですか。お話しくださいな。伺う時間はたっぷりありますもの。姉は乱暴にスープ皿ののったお盆をテーブルの上に置くと、一直線に玄関のところまで行って、腰に手を当てた。

「はい、なんでしょう」

近くへ寄って顔を見ると、それは毎週火曜日の午後七時きっかりに、一人で店にやってくる銀行員であった。

「あなたもなの？」

姉は攻撃的な笑みを銀行員に投げかけた。

「は？」

銀行員が戸惑っている。戸惑いながら、

「あのう、妹さん、大丈夫なんですか？」

「いいえ、大丈夫なんかじゃありませんわ。なにしろ次々に殿方がお見舞いにいらっしゃるものだから、熱が冷めても平静ではいられないことでしょうね」

銀行員は、どうやら姉の機嫌が悪いことだけは察知したが、それは度重なる不幸や妹の看病の疲れでそうなっているのだと理解した。

「大変でしょうねえ。何かお役に立てることがあったらいいのですが」

同情に満ちた銀行員の顔を見ているうちに姉は思い出した。たしか妹は、この男のことを好きではないと言っていた。銀行員には興味がないと。もしかして妹と気が合うのではないかと自分が勧めたとき、はっきりそう言った。いったい妹は、私をからかっていたのだろうか。男は誰もが姉さんに夢中ですもの、姉さんの魅力にまいらない男なんていないわなんて、よくも言えたものだわ。口先では私を持ち上げておいて、陰でこんなに大勢の男を手玉に取っていたなんて。子供の頃から私がどんなにあの子のために心を砕いてきたことか。どんなに妹を守り立てようと努力してきたか。あの図々《ずうずう》しい妹は、何の感謝の気持も持っていなかったんだわ。

姉はしだいに腹が立ってきた。その腹立ちを、目の前の銀行員にぶつけていた。

「だから何が言いたいんですか。妹のことがそんなに心配なら、さっさと二階へ行って世話をしてちょうだいよ。どいつもこいつも、何だっていうのよ。私はそんなにコケにされなきゃいけない女なの？」

銀行員は、眉《まゆ》をへの字にし、ときどき「いや」とか「でも」とか消極的に反論しようと試みるが、姉の感情の勢いがそれを許さなかった。しかたなく銀行員は、何が理由かわからないながら、姉がすべての憤《いきどお》りを吐き出すまで、黙って待った。そしてとうとう姉の言葉が途切れたとき、おだやかに語り出したのである。

「かわいそうに。疲れているんですね。よろしかったら中に入れていただけませんか。僕がおいしいお茶を淹《い》れてあげましょう。一息ついたら、少し落ち着きますよ」

姉は素直に従った。言うだけ言うと力が抜け、抵抗する気力を失うものである。

男の淹れたお茶は、たしかに心を和ませた。しかも、同じお茶の葉を使ったはずなのに、昼間、農場主の息子に淹れてあげたお茶よりずっとおいしい。香りがあって濃さもちょうどいい。

「少しは落ち着きましたか？」と銀行員は姉に尋ねた。姉はまだ笑顔を見せられるほどの余裕はなかったが、ふてくされた顔で頷いた。

「何があったか知りませんが、僕はあなたのことが心配で来たんです。もちろん妹さんの病気は気がかりですが、きっとあなたが一人で奮闘しているのだろうと思って」

姉は銀行員から目をそらし、もはやすっかり赤く染まった海を見つめた。好きな女の心を射止めるためには、まず家族の心をつかむという戦法か。さすが銀行員は知恵が働くものだと姉は感心した。

「僕が毎週火曜日にこの店にやってきた理由は、この店の料理がとても好きだったからです。雰囲気も景色もインテリアも。ご家族のことも。ご両親が亡《な》くなられて残念です」

銀行員はうつむいて、少し黙した。それからやおら身体《からだ》を前に乗り出すと、

「ねえ、聞いてください。僕は勇気を奮って言いますからね。そのために来たんです。僕がこの店を好きだった本当の理由は、他にあるんです」

「わかってますわ。妹に興味があったからでしょ」

姉は聞くまでもないといった表情で切り返した。

「は?」と銀行員は口を開け、それから大声で笑い出した。

「なんで僕が妹さんを? 何を勘違いしているんですか? だって妹さんにはいっぱいボーイフレンドがいるじゃないですか」

姉は初めて銀行員の顔を凝視した。

「どうしてそれをご存じなの?」

「どうしてって、観察していればわかりますよ。たとえ台所に引っ込んでいても、そういうことは、わかるものですよ」

「だって私はぜんぜん知らなかったわ」

「そりゃ、あなたは忙しすぎたんです。家族のために働いて、妹さんのために親身になって。あなたが店の要《かなめ》であることは事実ですが、あなたは自分の気持をいつも端っこに追いやっていた」

「どうしてそういうことがわかるんですか」

銀行員は、呆気《あっけ》に取られて見つめる姉の大きな瞳《ひとみ》を見つめ返した。

「そりゃ、僕があなたのことばかり見ているからですよ」

「わかりませんわ。どういう意味?」

姉のこわばった顔が少しずつほぐれていった。そしてつり上がっていた目の端から、大きな涙の粒が一つ、テーブルの上に落ちた。

「あなたはしきりに僕を妹さんに引き合わせようとしていましたね。僕は悲しかったんですよ。なぜそんなことをしようとしているのかと思って。でも僕は弱虫だから、あなたに本当の気持を伝えられなかった。だいいちあなたはいつも男の人たちに囲まれて、僕の入る余地なんて、到底なさそうだったし」

姉は初めて銀行員の顔をしっかりと見ている自分に気がついた。よく見れば、味わいのある男らしい顔つきだ。気弱に見えた銀行員の一言一言が、姉の心に染《し》み込んだ。

「今日だって、こんな告白ができるとは思ってなかったんです。とにかくあなたの様子が心配だったからお見舞いに来ようと思っただけで。でも、不思議なものですね。あなたが怒っていたから、告白できました」

「だって」と姉は初めて銀行員に笑顔を見せた。「てっきりあなたも妹のボーイフレンドの一人だと思ったんですもの……」

銀行員も笑った。笑いながらガラス戸の外に目を向けた。

「だいぶペンキがはげてますねえ。今度、僕が塗り替えてあげましょう。こう見えても僕、ペンキ塗りは得意なんですよ」

その三日後、妹の熱はようやく下がった。下がった理由が、船乗りの持ってきた中国の薬のおかげか、農場主の息子が連れていってくれた大きな病院での治療の成果か、それはわからない。いずれにしろ、姉の必死の看護があっての回復だったことだけは間違いない。元気を取り戻した妹は、ベッドの傍らにいる姉に手を差し伸べて、礼を言った。

「ありがとう。迷惑をかけてごめんなさいね」

姉は妹の手を取って、微笑《ほほえ》んだ。

「迷惑だなんて、とんでもないわ。私こそ、悪かったわ。ごめんなさい」

「何のこと？」

妹は問い返した。なぜ姉が自分に謝らなくてはならないのかわからない。しかし姉は妹の問いには答えず立ち上がり、明るい声で言った。

「来週からお店を開けられるかしら。しばらくは夜だけ営業することにしない？　あなたの身体が完全に回復するまで、私も料理を手伝うから」

「無理しなくていいわよ、姉さん。台所は私に任せて。姉さんは表の仕事だけで忙しいんだから」

そうねと姉はしぶしぶ頷《うなず》いた。姉は自覚した。お茶もおいしく淹れられない私が、料理に手を出せばろくなことにはならないだろう。悔しいが、認めざるを得なかった。

半月のブランクにもかかわらず、店はすぐに活気を取り戻した。銀行員は火曜日だけでなく、一日おきに店を訪れるようになった。いつもの隅っこのテーブルに席を取り、姉からメニューを受け取るときの顔は昔のように暗くなく、幸福感に溢《あふ》れていた。銀行員はゆっくりと食事を済ませ、そして他の客が誰もいなくなるまで静かにブランデーグラスを回しながら、姉の働く姿を見守った。

姉の笑顔と愛想の良さは相変わらず店の人気の的であった。そして姉は、以前と同様、妹のことが気がかりでならなかった。が、気がかりな理由は異なっていた。

店に入れ替わり立ち替わりやってくる船乗りや農場主の息子や靴屋や、そしてさらに怪しい動きを見せる若い男たちの素行を観察しながら姉は思った。問題は妹だわ。あんなにたくさんの青年に言い寄られて大丈夫かしら。男たちは皆、それぞれに真剣であった。妹の心を自分だけがつかんでいると思い込んでいた。そうでないことがわかったら、どういう騒動が起こるのか、姉は考えただけで怖ろしくなった。

「ねえ、妹さん」と姉は皿を洗いながら尋ねた。

「みんなあなたにご執心なのに、あなたはいったい誰を選ぶつもりなの？　このまま放っておくと大変なことになるわよ」

妹は、いつものように六つのグラスを一度に持つと、食器棚にしまいながら笑った。

「ご心配なく、姉さん。うまくやってるから。それに私、一人だけに決めるなんて、そんな器用なことはできないの。それより姉さんはどうなの？」

姉は驚いた。内気で悲観的だったはずの妹は、いつからこんなに大胆な娘になったのだろう。私の心配までしてくれている。でも私は大丈夫。気の多い妹とはちがい、気持はただ一つなんだもの。最後に出会った銀行員のことを想うだけでじゅうぶんに幸せだわと、姉は秘《ひそ》かに優越感に浸るのであった。

スケジュール

沢村　凜

沢村凜（さわむら・りん）

一九六三年、広島市生まれ。鳥取大学獣医学科卒業。一九九八年、『ヤンのいた島』で第10回日本ファンタジーノベル大賞優秀賞を受賞。二〇〇四年に発表した短篇集『カタブツ』では、生まじめな人間ゆえの事件を描き、エンターテインメント小説の新たな可能性を切り拓く。他の著書に『リフレイン』『瞳の中の大河』『あやまち』『ぼくがぼくになるまで』『笑うヤシュ・クック・モ』などがある。

職場の昼休みの会話は、リトマス試験紙だと思う。女同士でわいわいおしゃべりしているうちに、誰がどんな人間か、くっきりとわかるから。変わった人か、ふつうの人か、趣味や特技は何なのか。

たとえば、普段は口数が多いのに、ドラマの話題のときだけ黙りこむ人がいて、おかしいなと思っていたら、地上波は無視してケーブルテレビでマイナーなアニメばかり見ているとわかったり。仕事をしているときはふつうなのに、映画の感想でも、芸能人の離婚についての意見でも、ありえないほどユニークなことを言って、隠れ変人だと判明した人もいる。

私はというと、自分で言うのもなんだけど、かなり「ふつう」な人間で、どんな話題にも参加できる。盛り上がりすぎることなく、かといって、本当は興味や知識がないのに適当にあいづちをうってごまかすというのでもなく、自然に話にのれる。

コスメやファッションの話題、テレビをにぎわしている事件への感想、男のこと、ダイエットの失敗談、芸能ネタ、バーゲン情報・グルメ情報、職場の人たちの噂話《うわさばなし》、恋愛観、占いや心理分析クイズ、なんでも来い、だ。

けれども、油絵が趣味で日展に何度か入選している某先輩や、ガーデニングに詳しくて、開設しているホームページには専門的な質問が頻繁によせられるという某同僚のように、みんなが口を半開きにして「へー」とため息をもらすような話はできない。

他の人たちといっしょに「へー」と口を開けながら、人に感心されるような特技や趣味がある人はいいなあと、ちょっぴり妬《ねた》ましく思うばかりだ。

ついでに言うと、学生時代の成績は中くらいで、得意科目はひとつもなし。おとなになった今は、中規模の会社のOLをやっていて、容姿も人並みだし、運動神経やカラオケでの歌唱力も標準的。つまり、絵に描いたみたいに平凡な人間だ。

けれども、実は私にも一回だけ、昼休みの雑談でみんなの輪に入れなかったことがある。私にもふつうでないところがあると、リトマス試験紙が示してくれたわけだ。

そのときの会話のテーマは、「夏休みの宿題」だった。

職場の女性は二十代から三十代の独身者ばかりで子持ちはいないのに、なぜだかそんな話題になった。たしか誰かが、最近は工作キットや自由研究セットなんてものが売られているから、いまどきの小学生は楽でいいなとか、そんなことを言って口火を切ったのだ。

とたんにみんなは活気づいて、先を争うように語りはじめた。自分が子どもだったときの八月末の一週間の、苦労や苦心や涙の物語を。

絵日記を四十日分まとめて書いたというよくある話から、お小遣いでお姉さんを雇ってドリルをやらせたというちゃっかり派のやり口、先生に泣いてあやまって提出日を一週間のばしてもらったという思い出や、明日は九月一日なのに気がつけば宿題が半分以上手付かずだという夢をみてうなされることがいまだにあるという告白まで、誰もが嬉々《きき》としてしゃべりたてた。その様子があんまり楽しそうなので、私はうっかり羨《うらや》ましくなるところだった。

だけど、だまされるものか。

私には、二つ年上の兄と三つ年下の妹がいるのだけれど、夏休みの終わりにはふたりとも、泣きべそをかいたり、ヒステリーを起こしたり、青くなったり、逆ギレして赤くなったりと、それは大変な騒ぎだった。あれはまさしく悪夢の体験で、今ごろになって楽しそうに語っているからといって、羨んだりするようなものじゃない。

そう自分に言い聞かせていると、

「妙《たえ》ちゃんは、どうだったの」

と、一番年かさの先輩に話をふられてしまった。

「え、まあ、それなりに」

嘘《うそ》をつくのも変なので、笑ってごまかそうとしていたら、今度は一番若い後輩が、

「天音《あまね》さんのことだから、着々とこなしていって、直前であわてることなんてなかったんじゃないですか」

と鋭いことを言った。

「え、まあ、それなりに」

照れ笑いして、言葉をにごした。

でも、そう、そのとおり。私は毎年、八月二十四日には、すべての宿題を終わらせていた。

前にも言ったように、勉強が得意だったわけではないし、要領がよかったわけでもない。ただ、二十四日までに終わるように計画を立てて、日々それを守っただけのこと。

そんなに難しいことじゃない。宿題の全体の量を日数、つまり、夏休みの合計の四

十日から勉強ができない日と最後の余裕の七日を引いた残りで割る。そうして出た一日の量をこなすのに、自分の力からいってどのくらいかかるかを考えて、時間割りを組む。あとはそのとおりに実行すればいいだけだ。

　ごくごく当たり前のことに思えるのに、周りの人にはそれができないらしいことが、子どものころには不思議でならなかった。

　そのうち、これは私だけに与えられた天賦《てんぷ》の才、すなわち特技なのだと気がついた。自分のやるべきことについて、スケジュールを立ててそれを守ることができる——日常生活においてとても便利な能力だけど、残念ながら、昼休みの話題に出して感心してもらえるようなことじゃない。むしろ、煙たがられるタイプのものだ。

　それがわかっていたので、みんなが夏休みの宿題の苦しみを楽しそうに語るあいだ、微笑《ほほえ》みを浮かべて口を閉ざしていたのだ。

「天音さんは、ジューラーだから」

　私とそりの合わない同僚が、おどけた調子でみんなを笑わせた。どうやら、スケジューラー（つまり、スケジューリングの得意な人、あるいは、スケジュールマニア。皮肉っぽいニュアンスからして、たぶん、後のほうだろう）を略したものらしい。

　笑いたければ笑えばいい、と思った。

たしかに、せっかくの唯一《ゆいいつ》の特技が、口に出して説明するとよけいつまらない性格に思えるようなものだなんて、情けない話だけれど、私はこの才能を与えてくれた天に感謝している。

だって、みんなは知らないのだ。宿題をすませてもまだ夏休みが残っているのが、どんな気分のものか。

それはまるで、『ピーター・パン』のネバーランド。何をしてもいい。何もしなくてもいい、まったく自由な遊びの時間。

かといって、本物のネバーランドのように、糸の切れた凧《たこ》みたいなわびしさはない。あと数日で新学期が始まって、友達や友達じゃない同級生と毎日顔をあわせることになり、騒がしくていそがしくてそれなりに心地よい学校生活が再開するのがわかっている。それまでの、つかのまの平穏。

「親御《おやご》さんの教育が行き届いているのねえ」

中学一年のときの担任は、私が計画どおりにものごとを進めているのに気づくたび、そう言って目を細めた。

子どものすぐれた習慣がすべて親のしつけの賜物と思うなんて、とんだ勘違いだ。

もしも私のスケジューリングの手際《てぎわ》が「親御さんの教育」によるものだとしたら、兄も妹も同じようにできなければならないはず。だけど、兄はまあ、人並みに計画性があるにしても、妹ときたら、母の頭痛のタネだった。

だいたい親からして、父は行き当たりばったりの気まぐれを発揮する人間だし、母はきちょうめんな性格のようにみえながら、実はかなり衝動的でホンポーな人だったのだと、私が高校二年生のときに判明した。

教育でもしつけでもない、私自身の努力の結果でもない、生まれついての才能なのだということを示すエピソードがある。

自分ではまったくおぼえていないことなのだけど、私が三歳のとき、兄と私は外国帰りの親戚《しんせき》のおじさんからスイス製のチョコレートをもらった（妹はまだ生まれていなかった）。きれいな箱に十二粒の丸いチョコレートが宝石のようにおさめられている、当時の日本では見たことのない豪華な感じのものだったという。

「むこうのチョコは日本のよりきついから、少しずつ食べるんだよ」

と、おじさんは渡すときに注意してくれたそうだ。

兄は最初、この忠告を守って少しずつ食べていたが、よほどおいしかったのだろう、半分くらいまで食べ進んだところで我慢できなくなって、親の目を盗んで残りを一度にたいらげて、鼻血を出すことになった。

ところが私はわずか三歳にして、おじさんの忠告を聞くと、こう言ってのけたという。

「それじゃあ、タエちゃんは、一日にいっこずつ食べることにする。それから、えーと、日曜日はお休みで」

そして、その宣言どおり、月曜日から土曜日までは一日ひとつ、日曜日にはがまんして箱を開けず、二週間かけて食べたのだそうだ。

「日曜日の休みを入れるあたりが、妙ちゃんらしいわね」

「おまえは昔から、そういうのが好きだったからなあ」

両親はこの逸話を語るたびに、同じ感想をもらした。ふたりにとって私のスケジューリングの才は、長所というより趣味とか癖《くせ》みたいなものだったようだ。自分たちが教え込んだものではなく、ものごころつくようになると自然に現れてきた傾向だったからだろう。

こんなふうに、正当に評価されることが少ない私の唯一の特技だけれど、一度だけ、手放しでほめてもらえたことがある。

「すごいなあ、天音は。これでおまえは、他のことがだめでもだいじょうぶだぞ。いいか、人間、たったひとつ取り柄があれば、それで世の中わたっていける。人生、だいじょうぶ。たったひとつで充分なんだ」

担任だった若い男性教師が、私の肩を何度もたたきながらそう言った。小学校五年生のときのことだ。

このせりふ、聞きようによっては、「おまえには他に取り柄がない」と蔑《さげす》んでいるようにもとれる。

いや、「聞きようによって」ではなく、言う人間の気持ちによって。

もしもこの先生が心から感じ入ってでなく、口先だけや皮肉で言ったのだったら、私はそれを察して傷ついて、私にとって唯一の特技は劣等感の原因になっていただろう。そのうえ、自分の行動スケジュールを立てて守るという習慣を、押し殺してしまっていたかもしれない。

そうしたら今ごろ私は、何一つ取り柄のない、コンプレックスだらけの人間になっていたことだろう。けれども、

「たったひとつ取り柄があれば、それで世の中わたっていける。人生、だいじょうぶ。

たったひとつで充分なんだ」

このことばは、私の心にすとんと素直に落ちてきた。

よく、セクハラについて世の男性たちが、

「こっちは職場のコミュニケーションを良好にするつもりでやっているのに、いちいち目くじらたてられたんじゃ、冗談を言うこともできないじゃないか。それって、女性にとっても不都合なことだろう」

などと訳知り顔で言うけれど、女をなめてもらっては困る。

「お、疲れてるね」と肩をもまれたり、「元気いいね。ゆうべ、何かいいこと、あった?」などと軽口をたたかれたりした場合、それがいやらしい意味を含んでいるのかいないのかを、われわれ女は、しゃべっている当人以上に敏感に嗅《か》ぎ分けられるものなのだ。

いくら親切げに声をかけてきても、私たちをメスとして見ているならセクハラで、その場で抗議できない場合にも、恨みはずっと忘れない。反対に、言葉のつかい方の下手な人が、なぐさめや励ましのことばをかけるのに「セクハラ防止マニュアル」に載っているせりふそのままを口にしたとしても、感情を害したりせずに気持ちをありがたく受け取れる。

それと同じ嗅覚《きゅうかく》で、小学校五年生の私は、言葉尻《じり》にまどわされることなく、担任教師のせりふに肯定的な意味しかないことを嗅ぎ取れたのだと思う。

——そうか、私はだいじょうぶなんだ。

先生のことばがしみ込むにつれて、じんわりとした安心感が胸の中を満たした。

それからずっと、この安心感は涸《か》れることのない泉のように、私の胸の奥底に湛《たた》えられている。

この泉のことを考えるとき私は、アニメ映画『風の谷のナウシカ』の一シーンを思い出す。

「腐海」と呼ばれる、空気さえ毒をはらんでいる恐ろしい森。ところがその下にはひっそりとした空洞があって、白い砂の上を清らかな水が流れている、という場面だ。

あんなふうに、胸の中が失恋の悲しみに荒れ狂っていたときにも、友達からのけものにされて心の隙間《すきま》風に凍える思いをしたときにも、母が突然いなくなってスコンと足下をすくわれた気がしたときにも、仕事の失敗を課長にとことんなじられて自分が無価値で無意味な人間のように思えたときにも、心の底の、そのまた底にあるひみつの泉だけはそのままだった。嵐《あらし》や吹雪やひでりや砂漠化から守られて、いつも変わらずそこにあった。そして、悪天候がおさまったあとに私の心を立て直してくれる礎《いしずえ》になった。

「それは、アイデンティティだね」

この泉の正体を、一般的なことばにして教えてくれたのは、職場の飲み仲間の一人だった。

「アイデンティティって？」

よく耳にするわりには意味のわからないことばだと思って、尋ねた。

「自分が自分と思えるための、核になるもののことさ。船のバランサーのように、どんなに波にもまれたときにも、自分を自分として保っていられるようにしてくれるもの」

「ああ」

と私は、返事ともため息ともつかない声をもらした。

「天音さんって、安定した人だなあという印象を持っていたけれど、アイデンティティがしっかりしているからだったんだね」

「さあ」

そう答えたとき、〈アイデンティティ〉ということばの中に、〈愛〉と〈遺伝〉が隠れていることに気がついた。

アイ、イデン、アイデンティティ。

とたんに、それまでうまく意味がとらえられずにいたことばが、すっぽりと手の中におさまった気がした。そして私は、目の前にいる、尖《とが》ったあごに柔和《にゅうわ》な目をした男、羽黒大祐《はぐろだいすけ》に恋していた。

「その担任の先生に感謝しなきゃいけないね。……ぼくも」

こちらの気持ちに呼応するように、大祐がひかえめな告白をした。

——私の最後の恋がはじまったみたい。

照れ笑いを浮かべて大祐の目を見つめかえしながら、心の中でつぶやいた。二十四歳になって間もなくのできごとだった。

私が感謝しなければいけない相手は、小学校五年のときの担任の他に、もう一人いる。

あの先生のおかげで、たったひとつの地味な特技を肯定的にとらえられるようになり、おまけにアイデンティティまで確立できたのだけれど、それだけだったら、かえって生きるのを難しくしてしまっていたかもしれない。もしも私が得意になって、スケジューリングに他人をまきこむようになっていたら。

これまでの人生で、そういう人間を何人か見てきた。几帳面《きちょうめん》なのはいいけれど、他の人にもそれを要求して嫌われる人。相手が自分の計画どおりに動かないことにいらつく人。あげく、孤立してしまう人。

そんなふうにならずにすんだのは、父のおかげだ。

父は、もしかしたらアイデンティティのよりどころが「気まぐれ」にあるのではないかと思えるほど、次に何をしでかすかわからない人だった。

もちろん、会社に勤めながら私が高校二年のときまでは一家五人を、それから兄が大学を卒業するまでは一家四人を養ったわけだから、社会人として必要なだけの計画性は持っているのだろう。けれども、私人としての父は違った。

たとえば、日曜日に家族そろって動物園に行こうと車を走らせている途中、そういえば今ごろは植物園で水仙が満開なんだと、急に行き先を変えたりする。しかも、行ってみると、水仙が見頃というのは父の思い違いで、まだ蕾《つぼみ》もつけていない。

こんなことはしょっちゅうだった。

けれども、私も兄も妹も、そんな休日が好きだった。旅行会社が企画するミステリーツアーのようで、次に何が起こるかわからないわくわく感があった。

　こうした環境に育ったために私は、自分にスケジューリングの才があることを自覚する前から自然に、他の人が関係することにはスケジュールを立てたりせず、なりゆきにまかせるようになっていた。

　たとえば、夏休みの宿題の計画でも、父が気まぐれに私たちを連れ出すかもしれない日曜日には予定を入れないようにしていた。友人と待ち合わせてどこかに出かける場合にも、スケジュールを立てて行動するのは待ち合わせ場所まで。

　だから、どんなに遠方の初めて行く待ち合わせ場所にも遅れて到着したことはないけれど、相手が遅刻してきても、急に行き先が変更になっても、快く受け入れることができる。自分で言うのも変だけど、ずいぶんつきあいやすい人間になれたと思う。

　ただし、一度だけ、他の人の行動が関係するスケジュールを立てたことがある。二十三歳のときに決めた人生最大のスケジュールがそれだ。

　といっても、人に何かを強いるものではない。相手の動きによって柔軟に対応できるようにしてある、これまでと同じく完璧《かんぺき》なスケジューリングだった。

　そのはずだった——。

＊

すべては、ビアガーデンに始まり、ビアガーデンを舞台に展開した。

過去を振り返ろうとするとき、子どものころの思い出は学年でたどることができる。小学校何年のときにあれをしたとか、中学校何年のときにこんなことがあったとか、高校最後の冬は記録的に寒かったとか、短大に入学した年に日本中を騒がせたあの事件が起こったとか。

ところが社会人になってからのできごとは、いつ何があったかがあやふやで、まるで、使い古して目盛りが薄くなったものさしの上で生きているような気がする。そのうち、二十代の記憶はすべて、「私が若かったころ」にまとめられてしまうのかな、と思う。それはそれで、悪くないかもしれないけれど。

そんななかで、おとなになってからの思い出を一年一年の経過にかろうじてつなぎとめてくれているのが、七月十八日のビアガーデンだ。

この日は私の誕生日だけれど、そんなことより重要なのは、一年に一度、懐《なつ》かしい友人たちと集う日だということ。

メンバーは、チャコこと門田緋紗子《もんでんひさこ》、いでっちこと井手穂奈美《いでほなみ》、そして私の、高校時代に「三つ子」と称された三人組だ。といっても、外見や性格が似ているわけではない。周りがそうからかいたくなるほど、私たちはいつもいっしょにいたのだ。

卒業して、ばらばらに進学して、最初はこまめに連絡をとりあっていたけれど、それぞれの生活のいそがしさからだんだん疎遠《そえん》になっていった。そのままだったら、年賀状を交換するだけの仲になってしまっていたかもしれない。

私の二十歳《はたち》の誕生日をサカナに久しぶりに集まったとき、そんな予感になんだかしんみりしてしまった。

最初は陽気に始まった集まりだった。三人のなかで私の誕生日が一番遅い。これで全員二十歳になるから、記念にビアガーデンにでも行こうよと、何ヵ月ぶりかに顔をそろえた。

この年の梅雨明けは遅く、空はどんよりとしていて、本当ならビアガーデンを楽しめる天候ではなかったのだけれど、私たちは〈初めての体験〉にうきうきしていた。

なのにチャコが、

「なんだか、だんだん会う間隔が長くなるよね。そのうち、自然消滅しちゃうのかな」

などと言うから、気のせいか、ビールの泡までしぼんでしまった。まぜっかえして冗談にしたり、強気で否定したりするには、あまりに現実味のある指摘だったから。場がしんみりしてしまったときに活を入れるのは、いつもいでっちの役目だった。このときも、枝豆をぴょんと口の中に飛ばしてから、

「それが嫌なら、そうならないようにすればいいじゃない。今ここで決めようよ。一年に一度は絶対に会うことにするって」

と、提案した。

「あ、それ、いい考え」

チャヤコがはじけるような笑顔になった。ころころと機嫌と表情が変わるのが、チャヤコの一番の特徴だ。

「でも、一年に一回なんてさびしいよ。どうせなら、三回。それぞれの誕生日に集まることにしたら？」

「それはやめたほうがいいよ。『絶対に守る』ためには、確実に守れる約束にしておいたほうがいいから」

と、私はアドバイスした。何しろこれは、私の得意分野だ。

「そうそう。それに、チャヤコの誕生日はゴールデンウイークにかかるし、あたしのは

四月の初めの何かと忙しい時期でしょ。これからますます難しくなるよ。思い立ったが吉日で、今日にしようよ。毎年七月十八日、あーちゃんの誕生日は、私たちが集まる日」

あーちゃんというのは、もちろん私のことだ。

「そうだね。ちょうど梅雨があけるかあけないかの時期って、いいタイミングかも。もうすぐ夏だ、ビアガーデンだ、いでっちやあーちゃんに会う日だって、肌感覚でおぼえていられるもの」

「チャコは、頭でおぼえたことは、すぐ忘れちゃうからね」

いでっちらしい毒舌が飛び出したので、チャコは嬉《うれ》しそうにぺろりと舌をのぞかせた。

「だけど、なんだか悪いな。私の誕生日だけ、二人に祝ってもらえるなんて」

「気にしない、気にしない。どうせ、プレゼントなんて用意しないから。それに、あーちゃん、重要なことに気づいていないみたいね」

いでっちが、にんまりとした。

「一年に一度、絶対に三人で会う日ってことは、女友だち優先で、彼氏とのデートは禁止ってことよ」

「え、そうなの？」

私の狼狽《ろうばい》した顔を見て、ふたりは笑い声をあげた。

「私だけ誕生日にデート禁止なんて、そんなの、ずるいよ。別の日にしようよ」

「だめー。もう決まったもの」

「どうせデートする相手なんて、いないくせに」

「今はいなくても、そのうちできるよ。ねえ、別の日にしようよ」

ここらへんのやりとりは、単なるじゃれあいだ。私には、必要があれば二人が日をずらしてくれるのはわかっていたし、ふたりは、私がわかっていることをわかっていた。

けれども私は、誕生日に彼氏よりも家族よりも女友だちを優先するというのを、それから四年間、守りつづけた。

こうして七月十八日は、使い古したものさしにわずかに残っている目盛りみたいな日になった。この日の集まりのことを思い起こせば、少なくともその夏がどんなふうだったかくらいは、思い出すことができる。

二十一歳になる夏は、まっとうな夏だった。

つまり、暑かった。ビアガーデンにもってこいだった。夏の好きなチャコがはしゃいでいて、よく飲み、よくしゃべった。

チャコはストレートな性格だから、機嫌よくしゃべりまくるのは元気な証拠。私たちは安心して耳を傾け、ジョッキを傾けた。

元カレの話、前カレの話、今カレの話。チャコが一番熱心に語ったのは、それぞれに恋に墜《お》ちた瞬間のことだった。ひととおり話しおえると、テーブルにひじをついて、身を乗り出し、尋ねた。

「ねえ、いでっちやあーちゃんは、どんなときに男にぐっとくる？」

「あんまり経験ないからねえ」

いでっちが苦笑した。あんまりどころか、いでっちは男性に心底惚《ほ》れたことがないんじゃないかと私は踏んでいた。同性愛者《レズビアン》だという意味ではない。色恋にうといのだ。熱心に言い寄られて好奇心からつきあったことはあるみたいだけど。

「映画やドラマの話でいいなら、ハンサムな主人公に上目遣いですねた顔をされると、きゅんとしちゃうかな」

「いでっちは、好きな相手をいじめたいタイプかな」

「かもね」

「で、あーちゃんは?」

「えーと」

私はことばに詰まった。チャコほど惚れっぽくはないけれど、いでっちのような氷の女でもない、つまりは標準的な人間だから、それなりに、男の人のふとしたしぐさにぐっときたり、きゅんとしたりすることはある。

たとえば、後ろ姿が思いのほかたくましいのに気づいた瞬間とか、いつもむっつりしている人に無邪気な笑顔を見せられたときとか、何かを一生懸命やっている横顔に汗がうっすらと浮いているのを目にしたときとか。

でも、それはみんな、チャコに言われてしまっていた。しかたがないので、その場の思いつきを口にした。

「おいしそうにビールを飲んでいる姿かな」

たちまち、ふたりに攻撃された。

「いま適当につくって言ってるでしょ」

「ビアガーデンにいるからビールなんて、単純すぎ」

図星だったので、むきになって反論した。

「違うよ。ほんとに私、男の人がおいしそうにビールを飲む姿に弱いの。あのね、今日みたいに暑い日に、ジョッキをこう、ぐーっと傾けながらね」

目の前に本物のジョッキがあったのに、右手を取っ手を握るかっこうに丸めて、幻のジョッキを口元にあてて傾けた。本物のジョッキを使ったのでは、傾けながらしゃべることができないからだ。

「目を細めて、頭をのけぞらせて、ごくっ、ごくっと、遠くにいても音が聞こえそうなくらい豪快に喉《のど》を動かして、それから、五センチくらい中身が残っているところでジョッキを置くの」

口から出まかせを言うとき、後ろめたさからか描写が細かくなってしまう。そんな私の癖を知っているふたりは、にやにやしながら聞いていた。

「五センチってところがポイントね。無理に飲み干すんじゃなくて、満足したところでいったんジョッキを置くの。それから、『ほう』と幸せそうにため息をつく。そのとき、ほっぺたにでも、ビールの泡がちょっとついてたりしたら、かわいいなって、きゅんとしちゃうかな」

「今の話から、あーちゃんの潜在意識を分析してあげようか」

いでっちが、最高に意地悪なせりふを繰り出しそうな顔で私を見た。

「喉を動かすっていっても、喉そのものは動かないから、動いているのは喉仏だよね。

あのね、喉仏って、ペニスの象徴なんだよ。女になくて男にだけあるものでしょ」

「やーね、いでっち。『男性自身』とか、もう少し婉曲《えんきょく》な表現にしてよ」

チャコがくすくす笑った。

「だって、あーちゃん、にぶいから、はっきり言わないと伝わらないもの。とにかく喉仏って、そういう意味があるの。そこにぐっとくるなんて、もしかして、欲求不満？」

「しかも、豪快に動くところなんて……、きゃー、エッチ」

尻馬《しりうま》にのってチャコまでいじめるから、出まかせをしゃべったことを半ば後悔しながら反撃した。

「ひどーい。私は純粋に、一日がんばって仕事をしたあとの男のくつろぎタイムのよさを言っているのに、そんなふうに勘繰るほうが、エッチで欲求不満だよ」

それから三人で、どうでもいい言い争いをしながら笑いあった。

あの年の夏は陽気だった。

翌年は、変な年だった。

一ヵ月ぐらいずつ季節が前倒しでやってくる感じで、冬は短く、春は雨つづきで、本来の梅雨時には夏が始まっていた。それも、猛暑の夏が。七月の半ばにはすでに、誰もが夏ばてしていた。

オープンエアーのビアガーデンは、あまりに暑いと敬遠される。年中行事だからとこだわって、前年と同じビルの屋上に席をとった私たちは、日が沈んでも去らない熱気と周囲の閑散としたようすにげんなりしてしまった。幸い、ほどなくスコールのような夕立が降ってきたので、それを機に、同じビルの地下にあるビアレストランに逃げ込んだ。

この年、変だったのは季節だけではない。いでっちがよくしゃべった。

冗舌はいでっちの黄信号だ。煮詰まっているとき、精神的に追いつめられているとき、いでっちの舌は軽くなる。

何かあったのかと尋ねても教えてくれるわけがないから、私は適当なあいづちを入れながらひたすら拝聴した。そうやって聴くことで、いでっちの心が少しでも軽くなればいいと願いながら。

「私たち、洗脳されていると思うのよね」

いでっちの演説は、物騒なことばで始まった。

「洗脳って、誰に、どんな?」

「マスコミや、シナリオライターや、小説家や、マンガ家や、作詞家に、恋愛至上主義を。人生の最大の喜びは恋にあり、人は生きているかぎり恋をしてなきゃいけない、みたいに思い込まされてる」

「え、でも、そのとおりでしょ。恋する喜びって、ほかのことよりずっと大きいもの。恋愛がみんなの一番の関心事だから、映画とかマンガとかで、恋愛をたくさん扱ってるのよ」

「あのね、チャコ。ダイエットって、どうしてむずかしいか知ってる?」

「食欲に勝てないから、かな。でも、それがいまの話に関係ある?」

「うん。どちらも人類の歴史に関わることなのよ。人間は一万年以上ものあいだ、ずっと飢えとの闘いのなかで生きてきた。じゅうぶんに食べられるようになって、飢え死にする心配がなくなったのは、この百年かそこら、それも、先進国だけのこと。だから人間のからだは、口にした栄養を逃《のが》さないしくみになっていて、食べたら食べただけ、脂肪にして蓄《たくわ》えてしまうの。もう、そんな必要はない、かえってからだに毒だって状況になっても、切り替えがきかなくて、わずかな栄養も取り逃がすことなくがっちりキャッチしてはなさない。恋愛至上主義も、これと同じね」

「うーん、つながりが見えないな」

と私は話をうながした。

「あーちゃんたち、古典文学を読んだこと、あるかな。カタいやつじゃなくていい、『アラビアンナイト』とか『カンタベリー物語』とか『源氏物語』とか」

「『源氏物語』って、私にはじゅうぶんカタいんですけど」

チャコが頭をかいた。

「原文で読まなくてもいいのよ。口語訳ならどうしようもなく軟らかいから。この手のものを読むとわかるんだけど、昔の人って、ものすごく情熱的なのよね。誰かに恋をすると、それしか考えられなくなって、やつれたり、寝込んだり、死にそうになったりするの。それも、まだ一度も会ったことのない相手に思い焦《こ》がれたりして。物語だから大げさに書いてあるにしても、感動する前に引いちゃいそうなほど激しいの。どうしてだろうと考えて、理由がわかった」

「何?」と、私とチャコは同時に尋ねた。

「他に娯楽がなかったのよ」

「恋は、娯楽でするものじゃないよ」

チャコが不服そうな顔をした。

「じゃ、感情をたかぶらせるものがなかったと言っておこうかな。とにかく、考えてもみてよ。昔は電気がなかったんだよ。テレビもラジオもオーディオ機器もゲームもなくて、電話も郵便制度もなかったんだよ。どんなにさびしくて単調な生活だったと思う? 娯楽といえば、たとえば音楽を聴くには生演奏しかないわけで、貴族や金持ちは楽師を呼んで演奏させることができただろうけど、それで聴けるのは同じ種類の音楽だけ。いまみたいに、クラシックでもジャズでもポップスでもロックでも世界中の民族音楽でも、なんでも好きなものが聴けたわけじゃない。フィクションの世界を楽しむことだって、印刷技術が発明されるまでは、本は貴重品でたいした種類はなかったはずだから、物語さえろくに読めない。ましてや、映画やドラマやRPGは存在すらしていなかったわけで、夢中になったり感情をたかぶらせたりする対象は、戦争と宗教と恋愛しかなかったのよね」

「恋は、娯楽でするものじゃないよ」

チャコがまた言った。

「時代が変わって環境が激変したのに、そのころの習慣をひきずってるんだと思うな。こうして考えてみると私たち、昔の人にくらべて、周りにある刺激というか、その気になったら夢中になれるものが、百倍くらいあるわけでしょ。それなのに、人生における恋の比重が変わらないってのは、おかしな話じゃない」

「でも、恋は……」

「そりゃあ、恋する気持ちが、趣味とかに夢中になるのと違った特別なものだってことは知ってるよ。人を愛する気持ちが尊いってことも、じゅうぶん承知してる。だけど、それなら、ただ一人の人を愛しつづければいいのよ。しょっちゅういろんな人に恋してる必要はない」

「あたしがそうだって言いたいの？」

チャコがマジな顔をした。この年は、季節といでっちだけでなく、チャコまでおかしかった。いつもなら、こんなことでむきになったりしないのに。

「あたしが次々に人を好きになるのがいけないって、説教してるわけ？」

「そんなこと、ひとことも言ってないじゃない」

この年は、私も変だった。ふたりの間が険悪になったのに、なだめもせずにぼんやりと考えごとをしていた。

「言ってるじゃない。だいたい、いでっちは、人を好きになったことがないからわからないのよ。人を好きになるっていうのはね、電気があるとかないとかと、全然関係ないんだから。相手が好きになっちゃいけない人だったとしても、周りの人を傷つけるってわかっていても、どうしてもどうしても止められないくらいに、強いものなんだから」

「チャコ」

いでっちが、たしなめるように低い声を出した。チャコがはっとした顔になって、あやまった。

「ごめん、あーちゃん」

「え、何が？」

私は明るくとぼけてみせた。

「あれ、ふたりとも、ジョッキが空じゃない。ビールのお代わり頼もうよ。それに、おなかすいたね。もうちょっと食べるものも注文しない？」

言いながら、テーブルの端に立てられていたメニューを取って開いた。ふたりはほっとした顔をして、何を頼むかの吟味を始めた。

チャコがあやまったのは、私の母が駆け落ちしたことを思い出したからなのだ。そんなの、気にすることないのに。

私が高校二年生のとき、母はパート先の店長と不倫の末に失踪《しっそう》した。それを知ったときには驚いた。何より、母が一人の女だったということに、驚いた。

けれども自分でも意外なくらい、傷ついたりショックを受けたりはしなかった。たぶん私がもう、アイデンティティの確立した「おとな」だったからだろう。

父も兄も、内心はともかく、取り乱した態度はみせなかったのだが、妹だけは荒れた。でもそれも、一年くらいでおさまって、私たちは四人家族として落ち着いた生活を取り戻した。

母がいなくなってわかったことは、家事なんて、手を抜こうと思えばいくらでも抜けるということだった。一人ひとりに自分のことを自分でやってもらうようにすると、一家の主婦役を担うことになった私の負担もさほどでなく、その後の学生生活を楽しむ支障にはならなかった。

もうひとつ、こういう場合、まわりの人間がずいぶん気づかってくれるものだということもわかった。受験生の前で「落ちる」「すべる」を言わないようにしている人みたいに、母親とか不倫とか駆け落ちとかに関する話題を避けながら、私たち残された家族の顔色を窺《うかが》っているようすがおかしかったのをおぼえている。

それから何年もたったあとでも、私のことを一番わかってくれているはずのいでっちやチャコが、こうしてたしなめたりあやまったりするのだから、この〈優しさ〉はそうとう根深いものなのだろう。

追加オーダーのあと私たちは、別れるまで、上滑りした会話をつづけた。

二十三歳を迎える初夏は、梅雨明けが遅れて曇りがちだった。

けれども気温はそれなりに夏のものだったので、前年の教訓から屋外ビアガーデンながら屋根のある場所を確保していた私たちは、いまにも降りだしそうな曇り空の下でもおいしくビールをいただくことができた。

もしかしたら、その年齢になってようやく私たちは、お酒の味をしっかりと楽しむことができるようになっていたのかもしれない。

この日、チャコは、はしゃいでもおらず、沈んでもいなかった。

いでっちは、憑《つ》かれたように演説をぶつことなく、穏やかに微笑《ほほえ》みを浮かべて、時折いつもの毒舌を繰り出した。

私は、前の年のいでっちの演説からずっと考えてきたことを、まだぼんやりと考えていて、少し上の空だった。

それまで七月十八日は、良くも悪くも少女のころに戻れる日だったのに、この年、申し合わせたように三人とも、ふだんのおとなのままでいた。

きっと、暑いくせに晴れ間の少なかった夏のせいだ。

ぱらぱらと、にわか雨が落ちてきた。雨音に耳を傾けながら、チャコがしんみりと言った。

「人を好きにならずにすむ方法、教えてあげようか」

あとでわかったのだけれど、このときチャコは、一年越しの不倫の関係を清算したばかりだったらしい。

「好きになっちゃいけない人を好きになりそうになったとき、それを防ぐ方法。よく『一瞬で恋に墜ちた』なんて言うけど、実際のところ、五秒や十秒はかかるものなのよね。その時間が勝負の分かれ目よ。あ、あぶないと思ったら、相手の部分を見るの。全体とか、魅力的なところを見ちゃだめ。人間は彫刻とは違うから、しっかりとクローズアップして見ると、醜いというか、生理的に引いちゃいそうなおぞましいところが、絶対に一箇所はあるからね、そこを見つけて注目するの。髪の毛の間に浮いているふけとか、関節に寄った異様な感じの皺《しわ》とか、毛の生えたほくろなんかを」

「そんなの、つきあうようになったら、いくらでも目にするものだよね」

「つきあうようになってからなら、そういうのも平気なの。でも、恋に墜ちそうな瞬間に、それだけ見つめると、防止効果はかなりのものよ」

「チャコが言うと、説得力あるね」

ふたりのやりとりを聞いているうちに、一年間ぼんやりと考えつづけてきたスケジユールが完成した。私の今後の人生という大きなスケジュールが。

本当は、人生なんてスケジュールを立てられるものじゃあない。すべてに他の人が大きく関わってくるから。

それでも、少なくとも自分がどうするかの指針だけは決めておきたいと、二十二歳の誕生日に、いでっちの演説を聞いたときから思っていた。

いでっちの理屈には、うなずけるところがたくさんあった。恋をまったくしない人生はさびしいけれど、私はもう、夜中にそっと枕《まくら》を濡《ぬ》らす片思いも、手をつないだけで雲の上を歩いている気分になれる両思いも、喧嘩《けんか》と仲直りを繰り返すちょっと疲れるつきあいも、経験していた。そろそろ打ち止めにしてもいいかもしれない。恋愛以外にも、人生に楽しいことはたくさんあるのだから。

あと少し、二十三歳のうちは先を考えない恋をしよう。でも、二十四歳の恋は結婚につながるものにしたい。電撃入籍は趣味じゃないから、できれば二十四歳の前半くらいまでにはいい相手と巡り会って、じっくりとつきあって、二十五歳で結婚する。そのあいだに相手への気持ちは、ときめく恋心から穏やかな愛情へと変化するだろう。それからはその気持ちを守りながら、もう恋などという感情には目を向けずに、子育てとか趣味とかに生き甲斐《がい》をみいだそう。恋愛の「どきどき感」が懐かしくなったら、映画とか小説とかで擬似体験すればいい。

いでっちの演説を聞いたとき、そんなスケジュールがさーっと頭に浮かんだけれど、あわてて決めたりはしなかった。恋は、しようと思ってできるものじゃない。それに、二十四歳のときの恋の相手が、私との結婚を望むとは限らない。

そこで、こう修正した。二十四歳の前半くらいまでに恋をしなかったり、その恋が短く終わるようなら、予定の年齢をひとつずつ上げる。でも、予定どおりこの時期に恋をして、相手も私との結婚を望むようなら、それを最後の恋にする。その後の人生で思いがけない恋愛をして、スコンと誰かの足をすくうようなことはしない。

問題は、もう恋をしないと決めて、本当にそうできるかということだ。スケジュールを守るための最大のこつは、守れるスケジュールを立てることだから、この点についてずっと考えていた。

でも、チャコの話を聞いて、ためらいが消えた。

要は心構えの問題なのだ。恋をしないと心に決めて、油断なく感情の防波堤を築いておけば、だいじょうぶ、私はこのスケジュールを守ることができる――そう確信がもてるようになった。長年の経験からこういう勘ははずれないと知っていたので、この日私は、人生最大のスケジュールにゴーサインを出した。

そうして翌年、二十四歳の誕生日からほどなくして、私は羽黒大祐に恋をした。

まさにスケジュールどおりの展開だった。

そのはずだった――。

スケジュールの節目となる二十五歳の誕生日は、初めていでっちたちに日をずらしてもらって、大祐と過ごした。

死人が出るほどの酷暑の夏だったけれど、私たちを包む雰囲気は熱々《あつあつ》というのとは違っていた。つきあって一年。甘いささやきあいよりも実務的な話し合いが似合う関係。悪くとれば倦怠期《けんたいき》だけど、良く言えば現実的な結婚生活を開始する地固めができた状態。

私は後者でとらえていたし、大祐もそうだった。だから私たちはこの日、近いうちに大祐がわが家に正式に挨拶《あいさつ》に来ることについて話し合った。

私の人生のスケジュールは、着々と実現していた。

そのはずだった――。

翌週末の金曜日、七月十八日から六日遅れのビアガーデンでのことだった。私たちが近況報告をしあいながら二杯目のビールを飲みおえたとき、

「穂奈美」

と、いでっちをなれなれしく呼ぶ声がした。近くを通りがかった四人づれの男たちの一人が、片手を挙げて笑っている。聞けば、いでっちの従兄弟《いとこ》だそうだ。

ビアガーデンに到着したばかりだった四人は、当然のような顔をして私たちのすぐ横に陣取った。私は少し不快だった。せっかくの女だけの集まりだというのに。

けれども、物事をはっきり言うたちのいでっちが拒否しなかったし、チャコなどは嬉《うれ》しそうにしていたので、文句を言うのはやめた。

七人での会話がはじまった。ほどなく私は、四人のなかで一番背の高い男性が好みのタイプなのに気がついた。

でも、あわてたりはしなかった。生きていれば、好みのタイプに出会うことは当然ある。そんなことは織り込みずみのスケジュールだ。心の防波堤はしっかりとできている。

それに私には、チャコに教わった「こつ」があった。

二年前に聞いたとおりに、その男の醜そうな部分を探した。ビアガーデンの照明で

は髪のふけまでは見えなかったけれど、身なりにかまうほうではないらしく、野暮ったいスーツの袖口《そで》がすりきれかけていた。そこをじっと凝視した。すると、繕《つくろ》ってあげたい気分になってきた。

これでは逆効果だ。いそいで別の場所を探して——見つけた。左の鼻孔から一センチくらい、黒々とした鼻毛がのぞいている。経験豊富なチャコのアドバイスは大したもので、鼻の穴とそこから突き出した毛の先を見ていると、気分がすーっと冷めてきた。

そこに、私たちのお代わりと彼らの最初のビールが到着した。

最高気温三十四度の真夏日だった。誰もがおいしそうにビールを飲んだ。けれども、彼の飲み方は、ひときわおいしそうだった。

まず、ジョッキを愛《いと》おしそうに持ち上げて、口元に当てて傾けると、目を細め、頭をのけぞらせて、ごくっ、ごくっと、遠くにいても音が聞こえてきそうなほど豪快に喉《のど》を動かして飲んでいったのだ。ジョッキが置かれたとき、中身は五センチくらい残っていた。

〈ずるい。これは反則だ〉

と、心の中で叫んだ。かつて私が「ぐっとくるしぐさ」として語ったとおりにふるまうなんて。

彼が「ほう」と満足そうにため息をついた。右頬の脇《わき》に、ビールの泡がちょっぴりついていた。

そういえば、『風の谷のナウシカ』にもこんなシーンがあった。言い伝えられていた予言と同じ情景が、期せずして人々の前に現れる——クライマックスの場面だ。あんなふうに私は、彼が私の人生に現れることを予言していたのだろうか。

心の中でぶんぶんと頭を振って、この考えを振り払った。三歳のときから私は、自分の立てたスケジュールが守れる人間だった。私の最後の恋は終わっている。二十五歳の私は、もう恋なんかしない。してはいけない。いそいで鼻毛に注意を集中しようとした。

ところが、鼻毛の先は、もう黒々としていなかった。毛の先にビールの泡がぽちりとついて、たんぽぽみたいになっていたのだ。

私は思わず噴き出した。またしても反則技の大波に、防波堤が揺らいだ。心の底の安全地帯にあるはずの、ひみつの泉まで揺らいでいた。

いでっちの従兄弟が、お互いに自己紹介しようよと言い出した。すっかり合コン気取りでいるようだけど、誰もいやとは言わなかった。

波と防波堤の闘いを心の中に抱えたまま、自己紹介の順番が回ってきた。私は口を開いた。

「天音妙といいます。二十四歳です」

*

「初対面のとき、どうして年齢のサバをよんだりしたんだい」

日曜日の昼下がり、リビングの日溜《だ》まりで足の爪《つめ》を切っていた夫が、ふと振り向いて尋ねた。

「友達の従姉妹《いとこ》の同級生なんだから、すぐばれるのに」

「サバをよんだんじゃないわ。リセットしただけよ」

真実を答えたのに、

「女心って繊細だね。こっちはそんなこと気にしてやいないのに、一つの年の違いが重大事なんだから」

とおかしそうな顔をする。あのとき私が二十四歳でなければならなかった理由は、説明してもきっと理解してもらえないだろうなと考えながら、私はしずかに微笑む。

でも、そんなことはどうでもいい。あのリセットをのぞいては、私の人生、スケジュールどおりに進んでいるのだから。

LAST LOVE

柴田よしき

柴田よしき（しばた・よしき）

一九五九年、東京生まれ。一九九五年『RIKO 女神の永遠』で第15回横溝正史賞を受賞し、デビュー。以後、主人公・村上緑子をめぐる物語は人気シリーズとなる。警察小説以外にも本格ミステリ、伝奇ロマン、恋愛サスペンスなど様々なジャンルの著書、多数。『聖なる黒夜』『観覧車』『蛇（ジャー）』『クリスマスローズの殺人』『水底の森』『太陽の刃、海の夢』『ワーキングガール・ウォーズ』『夜夢』『シーセッド・ヒーセッド』『激流』など。

1

琴子は芸能人の離婚について喋《しゃべ》っていた。さっきまで。なのに、今、確かに言った。

そう言えばね、沢本さんも離婚したんだって。

あたしは聞き返すこともできなかった。空耳なのかも知れない、と、一瞬考え、琴子の次の言葉を待ってみたのだ。それなのに琴子は、自分が口にしたその新事実に、ほとんど興味を持っていなかった。

それだけ？

離婚した、って、いつのこと？

ほんとなの？

たたみかけたい気持ちをじっと堪《こら》えて、琴子の話が沢本のことに戻るのを、息をとめるようにして待ち続けた。でも、琴子はもう、買ったばかりのグッチの財布を取り出して、それをあたしに自慢することに夢中になっている。いつもなら、あたしもグッチには目がない。けれど、今はまるでコンタクトレンズを入れ忘れて外出してしまった時のように、目の前のものがすべて、ぼんやりとぼやけている。

それから一時間余り、琴子と何を話したのか、別れて電車に乗ってからも、あたしはろくに思い出せなかった。うわの空、ってこういうことなんだ。琴子は変に思っただろうか。彼女はもともと、誰かと喋っていても相手の話をあまり聞かず、自分の喋りたいことだけどんどん喋るタイプだ。案外、何も気づかなかったかも知れない。こういう時には、琴子の、よく言えばおおらかさ、正直に言えば鈍感さ、がありがたい。

琴子とは会社勤めをしていた頃からの親友だった。すでに古い語感があるキャリアウーマン、つまりそこそこの高給とりで出世を意識してばりばりと仕事をする女、の数がやたらと多い職場に十二年いて、親友、と呼べる存在は、結局、琴子ひとりだったと思う。自分が特別、敵をつくりやすい性質だなどとは思ったこともないが、それでも、向上心が強い人間は敵対心も嫉妬《しっと》心《しん》も強いものだ、というのを、十二年の間に身に染《し》みて感じた。足の引っ張りあい、中傷や小さな意地悪が、来る日も来る日も、社内のどこかの片隅にはころんと転がっていた。そんな中で、コネ入社でさほど仕事もできなかった琴子は、どうせ自分は出世なんかできないし、と笑っていてくれた。その笑顔があたしには救いだった。それでも、琴子は結婚相手の選り好みだけは激しくて、七回も見合いをしてようやく、入社十年目に寿《ことぶき》退社した。選びに選んだだけあって、収入も家庭環境も容姿も、すべてが高水準。ただ、年齢だけは琴子より十五歳も上で、おまけに再婚だった。別れた妻のところには中学生になる息子までいた。それでも、すべてにおっとりと、運命にはあえて逆らおうとしない琴子の性格が、そうした問題点もクリアさせてくれたらしい。琴子はそれなりに幸せそうで、年上の夫から可愛《かわい》がられ、あり余る閑《ひま》と潤沢な小遣いで優雅な小マダム生活を満喫していた。もしかすると、あたしが結婚を決意したのも、琴子の幸せそうな顔を見ていて、結婚なんて、してしまえばどうにかなるもんなんだ、と考えてしまったからかも知れない。けれどあたしは、琴子のように、立身出世に興味のない人間、ではなかった。琴子が寿退社した時、あたしはすでに係長の肩書きを貰《もら》って、上を目指そうと思えば目指せる、そんな位置にいた。

仕事が好きだったのか、と問われれば、今でも答えるのに時間がかかりそうだ。もし本当に仕事が好きだったのならば、限りなく見合いに近い形で、父の友人から紹介されて食事をしたのが出逢《であ》い、というような男と、あっさり結婚して仕事を辞めたりはしなかっただろう。勤務していた会社は、ネット通販の最大手と呼ばれる中のひとつで、給料は悪くなかった。だが仕事はクレーム処理係、つまり、苦情の受付係だった。入社した新入社員はまず電話受注の仕事をさせられ、それからクレーム電話の係にまわされる。だがそれは普通の場合、会社に適合して戦力となる為《ため》の通過儀礼で、苦痛に満ちた一、二年が過ぎれば、営業や商品企画、広告宣伝、適性や資格によっては経理だ総務だ人事部だ、と、それぞれ、新しい仕事へと配属されていく。クレーム処理の部署にそのまま残される者はごくわずかだ。もちろん、それは決して何かの罰だとか見せしめだとかいうネガティヴなことではない。クレーム処理というのは通販会社の中では最も困難な仕事をしている部署であり、ある意味、会社の心臓部に位置していると言ってもいい。何しろ通販というのは、実際に商品を目で見て手で触ることなく購入する、という、客にギャンブルをさせているような側面がある。それだけに、届いた商品が気に入らない、思っていたのと違う、といったトラブルは日常茶飯事であり、基本的には、そうした場合すみやかに返金して商品を引き取ることになっている。が、本当に全部引き取ってばかりいては商売にならない。電話を受けた者がいかに感じよく客をなだめ、返品するなんて申し訳ないわ、という気持ちにさせ、さらに、もしかしたらこの品物は、悪くないかも、返したら損かも、とまで思わせることができるか。あるいは、その時は返品されてしまったとしても、こんなに気持ちよく返品させてくれるなら、次からもこの会社のカタログから買えば安心だわ、と信じさせることができるか。徹底したマニュアルの暗記と訓練、難儀な客を想定してのシミュレーションを繰り返し、何度も何度も上司に怒鳴られ罵倒《ばとう》されて、ようやく、一人前のクレーム処理係になれるのだ。さらには、本当に商品に欠陥があった場合に、客の怒りをどうやってなだめるか。裁判沙汰《ざた》などにならないで客に納得して貰うためのトーク訓練は、文字通り、喉《のど》が嗄《か》れて血が出るのではないかと思ったほどさせられた。そうした厳しい業務を、他の社員よりも優秀にやりこなしたからこそ、そのままあの部署に残ることになったわけだ。入社たった三年目で、主任補佐として。

あたしは頑張った、と自分でも思う。その二年後に正式に主任となり、入社八年目で係長になった。当時三十歳。男性社員と比較しても、そう遅い出世ではない。それからさらに四年。その間に、琴子が結婚してしまった。

千歳烏山《ちとせからすやま》に、敷地七十坪というそこそこに大きな一戸建てを新築して、琴子の結婚生活は始まった。ほとんど毎週土曜日の午後、琴子はあたしを呼び出し、ふたりで代官山だの表参道などをぶらついた。琴子の夫は週末はゴルフに出かけてしまうらしい。接待ゴルフというのは言い訳で、あのひとは本当にゴルフが好きでたまらないのよ、と琴子は鼻に皺《しわ》を寄せる。琴子にも習えとうるさく言うので、レッスンに通って打ちっぱなしの練習はしてみたが、何が面白いのかさっぱりわからない、と。琴子は運動が嫌いなのだ。なので、琴子はあたしを口実に利用した。あたしと英会話スクールに通うことにしました、という嘘《うそ》。琴子は入社してまもなくの頃からずっと英会話を習っている。そしてそのことを、夫には内緒にしている。なぜ？　と訊《き》くと、琴子はこともなげに言った。

「お見合いの釣書に、あの人の特技が英会話、って書いてあったのよ。だったらわたしは喋れないってことにしておいた方が、彼のプライドが喜ぶでしょ」

プライドが喜ぶ。おかしな表現だが、言いたいことは理解できた。社会的地位も財産もあって、一度は結婚と離婚も経験し、離れて暮らしているとは言え、自分の血を受け継ぐ息子がちゃんといて、そんな男が、十五歳も年下の妻に求めるものは、才気だの語学力だのでないことは確かだ。家の中によく笑う自分よりずっと若い女がいて、毎日朝食を作ってくれて、たまにセックスの相手をしてくれる。そして何より、自分に甘え、頼ってくれる。琴子の夫にとって、そうしたことの方が英会話ができることなどの千倍も大事なのだ。

そんな結婚を、あたしは、心の中でわずかに軽蔑《けいべつ》していたと思う。だが同時に、たまらなく羨《うらや》ましくも感じていた。結婚して、琴子の人生からは、悩み、と名のつくものが消えてなくなった、そんな気がしたのだ。彼女はもう、毎月毎月、給料日前になると心配になる普通預金残高を気にする必要がない。クリスマスやホワイトデーに誰からも誘いがかからず、ひとりで残業して帰宅することを思い煩《わずら》うこともない。気の合わない同僚や先輩、意地が悪かったりわからず屋だったりする上司の顔色を窺《うかが》う必要もない。毎朝、みすぼらしく見えず、かと言って派手過ぎると周囲から顰蹙《ひんしゅく》を買わず、それでいて、アフターファイヴを楽しむのに過不足のないような服装について頭を悩ませることもない。その上、すでに跡取り息子と呼べる存在を持つ夫やその親戚《しんせき》から、妊娠しろというプレッシャーをかけられることすらない。

そこまで考えるか、と自分でも笑ってしまったのだが、あたしは真面目《まじめ》に、琴子が老後の生活費の心配をする必要もないことまで羨ましいと思ったのだ。順当にいけば夫の方が早く他界し、何がしかの財産は遺《のこ》して貰えるのだから。仮に運悪く琴子の方が先に天国にいくことがあったとしても、葬式代の心配すら必要ない。そんな琴子とひき比べて、自分には何と、悩みや心配や気掛かりが多いことだろうか。あの頃、土曜日のたび、雑誌に紹介されている洒落《しゃれ》て人気のあるカフェやケーキショップのこぎれいな椅子《いす》に座ってとりとめもなく喋り続けながら、あたしは、目の前の琴子が摑《つか》んだものの大きさを自分の幻の両手でおしはかって、その大きさに心の中で特大の溜《た》め息をついていたのだ。

しかし、そうした細かいことすべて足し算したとしても、もしあの日のことがなければ、あたしは仕事を辞めて結婚する、などという結論には絶対に達しなかった、と思う。どれほど琴子のことが羨ましくても、それでも自分の方がほんの少しだけ幸せなのだ、という自負はあった。決して、大好きな仕事、というわけではないけれど、社内でも難易度の高い部署にいてそれなりの実績をあげ、琴子の退職時の給料よりはかなり高額な給料を貰い、部下と呼べる社員もいて、自尊心を満足させてくれるこまごまとしたものに囲まれていた、あの頃の自分。

さらに、何より琴子よりアドバンテージを持っているとひそかに優越感にひたっていたのは、恋愛をしていたこと、だった。

2

あたしは恋愛をしていた。恋をしていた。ちゃんとした恋とちゃんとしていない恋、という区別があるものなのかどうかわからないけれど、自分の恋は、ちゃんとしている、と思っていた。不倫でもなければ、アブノーマルと世間が言うようなものでもない。別に不倫だってアブノーマルだって、個人の問題なんだから他人に非難する権利なんてないとは思うけれど、親に打ち明ける段になって悩みが生じるような恋愛ではない方がいい、というのが本音だった。その点、相手は三歳年上の独身で、テレビ局に勤務している「勝ち組」のサラリーマンだったので、あたしは半ば、有頂天になっていたのだと思う。

沢本剛志《たけし》、というのがその男の名前。絶対に忘れない、忘れたくても忘れられない、忘れてやれるほどあたしの心は広くない、そういう、名前。

出逢いのきっかけはあまりにもありふれていた。合コン。ちょっと気恥ずかしくて、どこで出逢ったの？　という質問は苦手だった。でもそれが事実なのだ。もう八年前のことになる。同僚の女の子が持ちこんだ合コン話。彼女の大学時代、サークルで先輩だった男性がテレビ局に勤めていて、職場の独身を集めて合コンしよう、という芸のない企画だった。それでも、テレビ局勤務というのはけっこう魅力的な材料だった。給料が高いことは世間的に常識だし、職場によっては、芸能人などと交遊関係を持っていたりするだろう。少なくとも、通販会社に勤務している男たちよりは、話題だって豊富だろうし、酒の席での女性の扱い方にも慣れているはず。根拠などないけれど、あたしたちはみんな勝手にそう思いこんで、意気揚々と飲み会に参加した。四人対四人。琴子は確かあの夜、風邪をひいていて参加しなかったと思う。ピンチヒッターで参加した総務部の女性は、美人でまだ三十歳前だったけれど、なんと人妻だった。残りの三人はすべて二十代の独身。相手は全員独身で、でも二十代半ばから三十五歳までいろいろだった。

沢本剛志は四人の中でいちばん美男子だったわけではない。それでも、たぶん二番目だ、とあたしは思った。好みの顔だった。少し顎《あご》が四角っぽくて、頼りがいのありそうなおおらかな笑顔。声が落ち着いていて低めなのもいい。目も鼻も口も大き過ぎず、全体に濃い顔ではなかった。さらりとしていて、暑苦しさがない。それだけでもポイントは高い。ただ、期待していたようなテレビ番組を制作する現場ではなくて、経理部に勤務している、というのがほんの少し、残念だった。あの頃の自分は若かったのだ、と、あたしは今でも、あの夜のことを思い出すと恥ずかしさで首のあたりまで熱を持つ。顔だとか服装、持ち出された話題、どんな仕事をしているのか。自分が沢本に対して抱いた興味の大部分は、沢本剛志という人間の本質にかかわるようなものではなく、ごく表面的で、時間が経《た》てばいかようにも変化してしまう、こころもとない幻のようなものばかりだったのだ。

けれど、結局、若い時代の恋愛はそうして始まるものなのだろう。錯覚と勘違い。期待と妄想。いろいろな誤解や勝手な解釈が互いに増殖して、いつのまにか心の中に、「わたしの大好きなあなた」が生まれてしまう。

あたしの心にも、あたしの大好きな剛志、が誕生した。

二次会にお決まりのカラオケで、剛志は一度も歌わなかった。歌は下手だから、と照れた顔で言った。そんなところまで気に入ってしまったあたしは、もうその時点ですっかり、錯覚の迷路の中に立っていたのだろう。清水の舞台から飛び下りたつもりで、とはよく使われる言葉だけれど、あたしは本当にそのくらいの覚悟で、剛志に携帯メールのアドレスを交換して、と囁《ささや》いた。剛志はまったく驚きもせず、かと言って大袈裟《おおげさ》に騒ぐこともなく、うん、と、すんなりアドレスを教えてくれた。その場で互いに登録をし合い、その晩の終電にぎりぎり間に合って、閉まる地下鉄のドアの内側でホッとした瞬間に、剛志からの初メールが届いた。

『今夜は、本当に楽しかったですね。合コンの経験はあまりないし、カラオケも苦手なので同僚に誘われてもいつもは断っていたんですが、なんとなく参加して、良かった。迷惑でなければ、また夕飯でも一緒にいかがですか。そんなにグルメというわけではないけれど、気に入っている店は少しあります。どんなものが食べたいか、リクエストしてください。できれば、給料日のあとがいいかな（笑）。それでは、おやすみなさい。沢本剛志』

どうしてこんなにはっきりと憶《おぼ》えているんだろう。携帯に送るメールとしては、短い文章でもなかったのに。

それだけ嬉《うれ》しかったんだ、あたし。

自分でも順調過ぎると少し怖くなったくらい、剛志との交際はスムーズに進展した。お給料日のあとって、いつでしょう、あまり先だとお腹《なか》がぺこぺこになってしまいます、みたいな、軽い文章で返事を出したけれど、その実、送信ボタンを押す時には親指の先が震えて見えた。電車を降りて改札口を出た途端にまた返信が来て、それから部屋に帰り着くまで、まるで携帯電話を買ってもらったばかりの中学生のように、せっせとメールのやり取りをした。それならいっそ、電話で話せばいいのに、とも思ったけれど、文字だけの方が大胆になれる。その晩、それでは本当にお休みなさい、と最後のメールを送信し終えるまでの間に、最初のデートの日取りと待ち合わせ場所まで決まってしまった。恵比寿《えびす》の中華料理屋でフカヒレを食べる。少し色気がないけれど、気疲れしなくて済みそうだったし、剛志が、他の店で食べるとばか高いフカヒレの姿煮が安く食べられる店だと誘ってくれたのだ。そして、そのフカヒレは本当に安くておいしくて、その後で入ったバーも気持ちのいいお店で。

恋の始まりなんて、きっとみんな、似たりよったりなんだと思う。その恋が壊れてしまってから思い返すと、どうしてあんなどうでもいいようなことが、あれほど楽しくて、嬉しくて、心地良かったのだろうと不思議になる。あたしたちは、ほとんど毎週のようにデートを重ね、いろいろなものを食べた。映画も観《み》た。美術館の特別展示にも行った。小劇場で芝居も観た。やがて夏になり、ビヤホールで乾杯し、朝早く起きて海にも出かけた。交際を始めて二ヶ月半、八月の盆休みに、蓼科《たてしな》の車山高原のペンションで、最初のセックスをした。二十代半ばの女と三十代目前の男とがつき合ってからセックスするまでの時間としては、決して短いとは言えないだろう。それだけ剛志は慎重で真面目だったのだ。それは嘘ではなかったと思うし、後になって、その理由もちゃんと判明した。

とにかく、あたしは感激したのだ。剛志が、出逢《であ》ったその日にラブホテルを終着駅に走り出すような男ではなく、ちゃんとお互いの気持ちを確かめあって、長くつき合っていけそうだと確信してから、旅行に誘ってくれたことに。

今どき、そのままではドラマの筋書きにもならないような、理想的な恋だった。ただ、結婚、という二文字については、互いに触れるのを怖れていた雰囲気はあった。あたしもまだ、仕事を辞めたいとはまったく思っていなかったし、より上を目指すのならば、独身の方が身軽で有利だとわかっていた。剛志の方にも、結婚、という言葉を軽々しく口には出せない事情があった。けれど、そのことについて剛志はなかなか、本当のことを打ち明けてはくれなかったのだ。

楽しい日々はあっという間に過ぎ去ってゆく。夏が終わり、秋が来て、冬には最初の聖夜を二人で過ごし、春になり、また夏が来て。いつの間にか、五年。その間に琴子は見合いを続け、結婚した。結納を済ませて退社する日が近づいたある昼休み、スパゲティをまきつけたフォークを空中で停めて、琴子が言った。

「ところでさ、真由美。あんた、いつまで、長い春をやってるつもりなの？　もういい加減、結論出す時期なんじゃない？」

琴子に言われるまでもなく、あたしは心の中で、ひそかに、ずっと、焦《あせ》っていたのだ。そう、いかにも五年は長過ぎた。いくら仕事を辞める決心がつかなくて、結婚に対してポジティヴになれないとか言ったって、独身の男を恋人に持って五年も経てば、じゃあどうするのよ、このまま養老院で茶飲み友達になるまでつき合うつもり？という素朴で切実な自問に苦しめられることになる。始まった頃には週に一度だったデートも、今では月に一度かせいぜい二度。まるまる四十日逢わずにいたこともあった。けれど、不思議なことに、逢っている間にふたりが共有する時間の濃さは、最初からあまり変化していないようにも思えた。相変わらず、まずは何かイベント、映画とか芝居とか、歌舞伎《かぶき》だったりコンサートだったり、そうしたものを楽しんで、それからおいしいものを食べる。ラブホテルは使わず、夜デートの後はセックスなしで別れることが多いけれど、週末や連休の時にはどこかに泊まりがけで遊びに行く。その年も、夏休みは日程を合わせて、ふたりだけでカナダへ旅行に出た。八日間の旅の間に、六回セックスをした。決して、互いに冷めてしまったというわけではないのだ。

なのに、結婚の話だけが出ない。

あたしの理想とは正反対に思える琴子の選択が、むしろあたしに決心をさせたのだと思う。琴子は、恋のゴールに結婚というテープを張らなかった。恋は恋として別に楽しみ、見合いに賭けた。経済力と包容力、それに、妻に多大な期待を抱かない淡白さ。そうしたものを第一の基準にして、彼女の「結婚」は成立したのだ。

あたしは？　あたしはどうするの？

あたしは違う。金持ちの年寄り（と言うほど琴子の夫は年寄りではないのだけれど）なんか選ばない。少なくとも、その金持ちの年寄りに恋をしていないのならば。

だから結論を出すことにしたのだ。負け惜しみではなく、結婚がしたかった、というのとは違っていた。結婚、という状態そのものに憧《あこが》れていたわけではなく、ただ、剛志との恋を次の段階に進めたかった、そういうことだった。

できるだけさり気なく、だがはぐらかされることがないよう剛志の目をじっと見ながら、あたしは訊《き》いた。

琴子が結婚するの。お見合いで。あたしたちはどうする？

どんな返事を期待していたのか、あの時の自分の心を正確に表現するのはとても難しい。もちろん、プライドの問題としては、笑顔で言って貰《もら》いたかったのだとは思う……僕たちもそうしようか。そろそろそんな時期だしね、と。けれど、その反面、剛志ならばこんなふうに言うかも知れない、とも想像していた。結婚か。まあ他人は他人だから琴子さんの幸せは祈りたいけど、でもさ、結婚、なんて社会制度に縛られるのって、つまらないような気がしないかい？　僕らは今のままでけっこう楽しくやっているんだし、形式は気にしないで、いいパートナーでいたいな、僕は。

どちらでも良かったのだ、本当は。

剛志の答えが前者であれば、あたしたちは多分、結婚していただろうと思う。でも後者であれば、少なくともあたしには、恋と自由の両方が残された。あとしばらくの間、剛志への恋心が薄れて消えてなくなってしまうまでは、恋をしたままでいられたのだ。気心が知れて馴染《なじ》んだ男と、上等な夕飯を食べたり気ままな娯楽を求めたり、くつろげるセックスを楽しんだり。悪くない未来だったはず。

けれど、現実は、あたしの予想とまったく別の未来へと向かった。

剛志は驚いていた。だがそれは、どこかに狡《ずる》さの滲《にじ》んだ、半ば予期していた驚きの匂《にお》いを放っていた。剛志は、ゆっくりと、息を吸い込んでからまた吐き出して、言った。

少しだけ、返事を待ってくれる？ ちゃんと説明するから。

説明？ 説明って、なに？

怪訝《けげん》な顔で首を傾げていただろうあたし。自分の顔を自分で見るには鏡を取り出さなくてはならず、そして、一度鏡を取り出す、という動作をしてしまえば、その時のあたしの顔は、霧が風に吹き飛ぶように消えてしまう。

その日、剛志はあたしを食事に誘わず、アイスコーヒー二杯分のお金だけあたしの目の前に置いて、帰ってしまった。

『あれから何度も電話しようとしたけど、勇気がなくてできなかった。君の声を聞いたら、謝る以外に僕にできることはなくなってしまうと思う。だからこんな、メールで済ませてしまうことを、どうか赦《ゆる》して下さい。それも合わせて、とんでもない男、最低の男だと思ってくれてもいい、いや、思われても当然だと覚悟しています。

君のことを好きだったのは本当です。だが君には黙っていたことがありました。わざと隠そうとしていたのではなく、どう説明すればいいのか考えているうちに、話すのが面倒になってしまった、というのが本音です。悪気はなかった、などと綺麗《きれい》ごとを言うつもりはありません。黙っていたこと自体、裏切りなのは承知しています。

僕はバツ一です。離婚歴があります。まだ学生の時に、同級生だった女性と入籍しました。なぜ、あんなに若い時に、結婚なんてしてしまったのか、それは正直なところ、自分でも謎です。たぶん、若い時にしかわからない、何か変わったことがしたいとか、他人と同じでいたくないとか、そういう様々な気持ちの果ての衝動だったと思います。僕は就職するつもりだったので、結婚しても生活はできると思ったのも理由かも知れない。事実、就職し、今に至っていますから。しかし、僕の妻となった女性は、そのまま大学に残りました。大学院で学業を続け、入籍して三年後に、パリに国費留学生として渡り、その二年後に帰国した時、離婚して欲しいと言われました。彼女は理由をいろいろと説明したけれど、それをここで君に話しても仕方のないことなので省きます。とにかく、妻は僕のもとを去り、僕は残された。その時、僕は思った。もう二度と結婚はしたくない。しない、と。

でも君と出逢って、結婚について考えるようになったことは嘘《うそ》ではありません。もう一度、君とならばやってみてもいいかと思ったことは何度となくありました。ただ、君はあまりにも楽しそうに会社や仕事のことを僕に話してくれていたし、君が自由で束縛されない今の生活を気に入っていることがわかっていたから、君が満足しているように見える間は、僕から結婚のことを言い出す気にはなりませんでした。やっぱり僕は、結婚に対してある種の恐怖を持ち続けていたんだと思う。

ここから先、僕が書くことは、君をとても傷つけ、怒らせると思います。でも僕には、書かないでいることは書くことよりもっと赦されない行為だと思うので、書きます。僕自身、どうしてこんなことになったのか、よくわからないんです。僕は確かに君のことが好きで、君との交際は僕にとって、理想的なものだった。

それなのに、僕は、恋をしてしまいました。君に対して僕が抱いた気持ちも間違いなく恋であったはずなのに、そしてそれがいつ終わったのか、僕にもわからないのに、僕は、今、他の女性のことを愛しています。

その女性と知り合ったのは二年ほど前のことです。しかし誓って、二年もの間、二《ふた》股《また》をかけていたわけではありません。いや、実はまだ、僕は自分の気持ちをその女性に打ち明けていないんです。その女性を愛しているという自分の心に気づいたのは半年ほど前のことだったと思いますが、僕は、その女性に対して自分の気持ちを打ち明けるつもりはなく、君との交際を終わらせるつもりもなかった。一時の気の迷い、心のうつろいなんだと自分に言い聞かせて、その女性のことは諦《あきら》める気でいました。しかし、一日一日と日が重なるにつれ、僕の心はどんどんその女性へと傾いて行き、今ではもう、その女性のことを諦めると考えただけで胸が苦しくて息ができなくなりそうなほどです。

君が琴子さんの結婚の話をして、僕たちの未来をどうするつもりなのかと問いかけた時、遂にその時が来た、決意しなくてはならないのだ、と思いました。しかし、すでに充分、君を裏切ってひどいことをしているのに偽善者だと言われるかも知れないけれど、その女性に気持ちを打ち明け、受け入れてもらってから君と別れるということはできない。そう思ったので、このメールを今夜、出します。明日、僕はその女性と会う約束をとりつけています。そして、僕の気持ちを打ち明けるつもりでいます。

僕はふられるかも知れない。でもそれでおめおめと、君とよりが戻せるなどとは考えていません。

いずれにしても、僕にとっては、これが最後の恋になるだろうと思います。もう僕は、相手の心変わりにも自分の心変わりにも、苦しめられることに疲れています。これでその女性に受け入れて貰えなければ、琴子さんのように、見合いでもして、平凡な結婚生活を築けるような人と結婚する決心です。そして生涯、恋はせず、ただ結婚生活を平穏無事に保ち続け、家族を大切にして、死にます。罵倒《ばとう》されることは当然ですが、このメールに書いたことには嘘、偽りはありません』

3

海に向かって、バカヤロー、と叫ぶ。あれ、一度はやってみたかったし、やるなら今だな、とあのメールを読み終えた時に思った。でもあたしは車も運転免許も持っていなかったし、夜の電車に乗って海までたどり着いたとして帰りはどうするの、というひどく現実的な問題が頭をよぎり、諦めた。その代わり、バスルームに入り、シャワーをめいっぱい強く出して、頭からざばざばとお湯をかぶり、そのお湯の中で叫んだ。バカヤロー。

大声でそんな言葉を口にしたのは、恥じらいとかいうものを身につけていなかった小学校低学年の頃以来だろう。滝のような湯の中で口を開けると、口の中にごぼごぼと湯が入りこんで来て、立ったまま溺《おぼ》れそうになる。それでもあたしは、何度かバカヤローと叫びながら、たぶん、泣いていたんだと思う。あの夜のことは、そのあたりから記憶が曖昧《あいまい》だ。

気がつくとあたしは、おそらくは二日酔いだろうと思われる不快感と頭痛を抱えたまま会社にいて、いつもと何ひとつ違わない、何もなかった顔を必死に保ちながら事務処理をしていたし、また気がつくと、ヒステリックに喚《わめ》きたてるクレーム客の声を受話器の向こうに意識しながら、その客の購入データを画面で確認したりしていたのだ。

なんでもない。

どうってこと、ない。

よくある話じゃないの。

ただの失恋。

ただの、失恋。

と片づけてしまうには、五年間という日々はたくさん過ぎるのではないだろうか。

あたしは、最初の衝撃から立ち直ると、今度は猛烈な怒りに囚《とら》われて身動きができなくなってしまった。

剛志のしたことは裏切りだが、それを告白したあのメールは誠実？　しかし本当の誠実とは、最初から何も隠さないことではないのか？　いや、隠した方が相手を傷つけないと思ったから隠した？　それにしたって、自分が他の女に惹《ひ》かれているのかどうかぐらい、もっと早く気づいたらどうなんだ？

あたしは怒っていた。猛烈に、激烈に、無制限に。

何が、最後の恋、だ。それならあたしとのことは、最後から二番目の恋、ってことになるじゃないか！　あたしはブービー賞か⁉

身中にたぎって沸騰《ふっとう》した怒りのおかげで、なぜか仕事をするスピードは倍になり、クレーム客にもあたしの心の奥底からふつふつと湧《わ》き上がる猛毒のような怒りが静かに伝わるのか、オペレーターと電話を代わってあたしがひと言、ふた言喋《しゃべ》った途端、あ、もういいです、と電話を切ってしまう人が相次いだ。苦情処理係としては最強の状態だったかも知れない。

失恋で痩《や》せ細り、この世の終わりのようにぼろぼろになってしまう女がいる、という話は知っているが、あたしはそうはならなかった。ブルドーザーが山を切り崩すように仕事をし、ゴミ収集車が生ゴミの日に見せてくれるパフォーマンスさながらに食べた。しばらくさぼっていたジムに毎日のように通って深夜までエアロバイクを漕《こ》ぎ、プールで泳いだ。貯金をおろし、現金の束を持って銀座に乗り込むと、ブランド直営ショップをハシゴしてバッグや靴や服を買った。全身武装するかのように真新しい服を着て一時間かけてフルメイクすると、映画だ芝居だコンサートだと走りまわった。

ひとりで。

結局、あれも、布団《ふとん》をかぶってめそめそと泣いているのとたいして違わない、典型的な逃避行動だったのだろう。あたしは傷ついていたのだ。剛志のことを愛していたのかどうかは自分でもよくわからなかったけれど、好きだったのは間違いない。好きだったし、剛志との恋愛にいつか終わりが来るなんて、本当は考えたくなんてなかったのだ。まして、剛志が他の女性に心を移してすべてが終わりになってしまうなんて、そんな結末は、想像すらしたことがなかった。想像できなかったのだと思う……怖くて。

そんな、あの頃のあたしの心をいちばん理解していたのは、寿《ことぶき》退社して優雅な小マダム生活に入ったばかりの琴子だったろう。琴子の結婚式の日、あたしはまだ衝撃から抜け出せずにいたのだが、それでも、タガがはずれたように自分にゆるした衝動買いの数少ない成果として、実に美しいラインを描くパーティドレスで披露宴の席にいた。そして舞台の上の演劇でも鑑賞するような気分で琴子のきらびやかな花嫁姿を見つめ、二次会の席で、明日からニューカレドニアに新婚旅行に出かける、という琴子の手を握ったまま少し泣いた。親友が結婚し、自分は取り残される寂しさが五十パーセント。親友が結婚し、幸せになるだろうという嬉《うれ》しさが二十パーセント。親友が結婚し、その興奮のせいでなんだかわけのわからない感動をしていたのが二十パーセント。そして残り十パーセントは、惨《みじ》めな失恋女である自分自身への、哀《あい》。

あれからもう、丸二年が経《た》った。そしてこの二年の間に、あたしは確かに変わった。意識してそうなったというよりは、立ち止まってよくよく考えてみたら、いろんなことが誤解や錯覚だったのだと気がついた、そんな変化だった。

あたしは、クレーム処理、という仕事がそんなに好きではなかった。そしてあたしは、恋愛、というものをもう信じてもいなかった。さらにあたしは、琴子のようにお気楽な妻となる選択肢を、本当は捨ててなどいなかった。

そうした様々な真相を知って、あたしは、人生の進路をほんの少しだけ変更することにした。限り無くお見合いに近い、父親の友人からの紹介、という形で、国立医大付属病院の病理研究所に勤務する医者と食事をし、そのまま半年交際して、婚約してしまったのだ。

医者とは言っても、今のまま病理の分野にいれば開業医となることはたぶんない。

つまり、世間一般がイメージするような、経済的に余裕のある町のお医者さんの奥さん、にはなれないだろう。そこそこの給料を貰《もら》っているとは言え、研究職でしかも国立病院に勤務しているわけだから、地味なサラリーマンと同じ。そしてあたしは、結婚を機に仕事を辞めることを決心している。もう退職願は出してしまったし、今月末まで働いてボーナスを貰ったらあとは、未消化の有給休暇の消化期間に入るため、会社には出ず、ひたすら結婚準備に専念する予定だ。

琴子には、新居でつかう家具を選ぶのに一日つき合ってもらった。夫となる男はそうしたことにはまったく無頓着で、家具もインテリアも君の趣味で揃《そろ》えていいよ、と言うばかり。彼が提示してくれた予算は割合とゆとりがあり、希望通りのものはひと揃い買えそうだったが、新しい生活の色彩を決める作業にかかわろうとしない彼の態度には、正直なところ、かなり物足りなさも感じている。彼に興味があるものは、顕微鏡の中の細胞片だけなのかも知れない。そんなことまでふと、思ってしまう。

恋愛とは無縁な結婚だ。お互いの経歴や顔形には満足、あるいは妥協の範囲だと認めて納得している。経済的な試算も済ませた。その結果、あたしが仕事を辞めたとしても、生活が苦しくなる心配はそうないだろうという数字が出た。趣味は合わないわけでもない。好きな映画はだいたい一致しているし、食べ物はどちらも特に好き嫌いがない。ふたりとも動物は好きで、新居はペットOKのマンションに決めた。生活が落ち着いたら、彼が友人から子猫を貰ってくれるらしい。その友人の猫が今、妊娠中なのだ。生まれてから二ヶ月は母猫のところにおくとして、ちょうどいいだろうと。ペットショップで血統書のついた猫を、と言わなかったところにはとても好感をおぼえた。けれど、血統書のついたロシアンブルーでもいっこうに構わなかったというのも本音だ。子供については、そう焦《あせ》らなくてもいいんじゃない、というのがふたりの口から同時に出た言葉。しかし子供が嫌いだとかつくりたくない、というわけでもない。ふたりともスポーツは得意ではないけれど、健康のためにジムには通っているし、野菜はできるだけ有機栽培で、という妙なこだわりも合致した。琴子に言わせると、案外、お似合いだよ、ということになる。

でも。

でも、これは恋じゃない。

もしこのまま結婚して、それで不倫とか浮気とかする勇気もなく人生が過ぎていくとしたら。

あたしにとっての「最後の恋」の相手は、剛志、ってことになっちゃうの？

剛志にとってのあたしは、最後から二番目、なのに。

剛志が結婚した、という噂《うわさ》を耳にした時、あたしはその相手が誰なのか、確かめなかったのだ。剛志は、最後の恋、の相手にふられて見合い結婚に走ったのか、それとも、受け入れて貰えてめでたくゴールインとなったのか。どちらにしたってあたしはブービーなんだから関係ない、と思った。無視しようと決めた。だから未《いま》だに、あれから剛志の恋がどうなったのか知らないのだ。

その剛志が離婚した？

琴子の情報が正しいとすると、いったいどういうことになるんだろう。可能性としては四つある。剛志が結婚した相手が、最後の恋にしたいと言っていたその運命のひとであった場合。離婚したということは、運命のひとが剛志を裏切って新しい恋に走ったのか。それとも……剛志自身が別の女にまた恋をしてしまったのか。結婚相手がくだんの女性でなかったとしても、同じ可能性が二つ存在するわけだ。

巨大な家具センターのある有明からの帰り、地下鉄のドアガラスに額をくっつけて、あたしは決心した。

確かめよう。剛志の「最後の恋」があれからどうなったのか。あたしはいったい、剛志にとって、後ろから何番目の恋人なのか。

そんなことを確かめても、一円の得にもならないことはわかっている。わかっているけれど、確かめておかないと、いつまでも胸の中にもやもやを抱いていなくてはならず、細胞の切れ端を顕微鏡で眺めていられれば幸せそうな彼、あたしの夫となる人に対しても、なんだかそういうもやもやを隠しているのは申し訳ないというか、それってやっぱり、立派な裏切りなんじゃないの？　という気がするのだ。

自分が裏切られたあの痛みはまだ、心の中にしっかりとケロイドになって残っている。だから裏切り者にはなりたくなかった。夫となる人のことを、好きだとか愛しているとか言う前に、他の男への未練は、どんな形であれ、全部まとめてドラッグして、ゴミ箱に放り込んで、「ゴミ箱を空にする」を選んで、画面から消してしまわなければ。それでもたぶん、データはハードディスクのどこかにまぎれて残っているのだろうけれど、修復しなければ消えたのと同じだもの。

4

離婚した剛志とは、拍子抜けするほどあっさりと連絡がついた。職場が変わっていなかったのだから当たり前と言えば当たり前だが、三年近くが経っているのに、あたしはあたし、剛志は剛志でただの一度も偶然出逢《であ》ったりすることのないまま、この東京でそれぞれの暮らしを続けていたのだ、と考えると、ちょっと不思議だ。テレビ局勤務でも事務職の剛志は、昼食休憩を時間通りに正午から一時間とる。会社にかけた電話でそのまま剛志と約束をとりつけ、あたしは正午きっかりに、剛志が働いているビルの真向かいにある雑居ビルの、その最上階に店を構えているロシア料理店に座っていた。

剛志は滅多に遅刻をしない男だった。今日も、正午五分過ぎには店に現れた。ランチセットはボルシチとピロシキにロシア紅茶で税込み千円。それで充分、と思ったけれど、剛志が、なんでもいいよ、と言ったので、その上の、つぼ焼きシチューとデザートが付いたセットを二人分頼んだ。もちろん、あたしが払う。剛志は抵抗するかも知れないが、絶対にあたしが払うんだから。

昼からこんなに食べられるだろうか。最初に出て来たボルシチが、スープカップではなくフルサイズのスープ皿に、しかも具がごろごろしている状態で出て来た時、あたしは少しだけ後悔した。でも、けちけちするわけにはいかないのだ。このランチタイムはあたしにとって、そう、あたしの人生にとって、けっこう大事な一時間になるのだから。


「それで」

剛志の方から口を開いてくれたのでホッとする。

「元気だった？」

「ええ、まあ」

あたしはボルシチの皿に顔を向けたまま言った。

「病気らしい病気はしなかったわ」

「あ、いや、それはよかった」

なんという間の抜けた会話だろう。しかし、ボルシチはおいしい。あたし好みの、ちゃんとビーツを使った赤紫色のボルシチだ。トマトばっかりの赤いボルシチ、あれではミネストローネと大差ないじゃないの。

「人づてに聞いたんだけど、結婚するんだって？」

あたしはギョッとして顔を上げた。

「……どうして知ってるの」

「うん、熊田《くまだ》から」

ああ、そうか。そうだっけ。もともとあの合コンのお膳《ぜん》立てをしたのはあたしの会社の女性と、大学でその先輩だったとかいう、その、熊田氏だったっけ。

「僕なんかが言える立場じゃないけど、おめでとう、と言わせてもらってもいいかな」

いいかな、って、もう言ってるじゃないの。イヤだ、と答えたらどうするつもりなんだろうか。おめでとうは取消す？

あたしは小さな溜《た》め息と共に、顎《あご》をひいて真直《まっす》ぐに剛志の顔を見た。こんな不毛で無駄な会話を続けていたら、ランチタイムが終わってしまう。

「ありがとう」

少し、声にドスが利《き》いているような気がしたが、緊張しているのだから仕方がない。

「でも今日は、あたしのことを話しに呼び出したわけじゃないのよ。あたしが結婚しようとしまいと、もうあなたに報告するような義理も必要もないものね」

「あ、もちろん。……はい」

剛志は不安なのだろう、額に汗をかいている。皿が空になるとすぐに、きのこの形をした茶色いものが登場した。パンの種をかぶせて焼いたシチュー。スプーンでボスッ、とパンの部分に穴を開けた。あたしは猫舌で、こうして冷まさないとこの料理は食べられない。

「あのね」

あたしは、スプーンに載せたクリームシチューの具に何度か息を吹きつけてから言った。

「あなたが離婚した、って、あたしも噂で聞いたの。たぶん、熊田さん経由でうちの会社に伝わった噂だと思う。まずは、それが本当なのかどうか、教えてもらってもいい？」

「本当だよ」

剛志は逡巡《しゅんじゅん》しなかった。すでに心の迷いは吹っ切れているらしい。

「先月、離婚した。今はひとり暮らしだ」

「そう」

あたしは頷《うなず》いた。

「君には謝らないと、ちゃんと顔を見て謝らないと、と何度も思った。あんなメール一本で済ませてしまって、僕は本当に卑怯《ひきょう》だったと思う。君には……」

「待って」

あたしは、ぴしり、と剛志の言葉を遮る。

「そういうことは、もういいの。今さら言い合ってもしょうがないでしょ？　ただあたし、純粋に知りたいだけなのよ。あたしはあなたにとって、最後から何番目の恋人なの？　あなたの最後の恋は、結局、どうなったの？」

剛志は一瞬、知らない国の言葉でも聞いたような顔をした。こいつ、あのメールに書いたことを忘れてるな。ならば思い出させてあげるわ。

「あなた、書いたのよ。メールに書いてあたしに出したの。あたしをふって別の女性に告白する、その女性とのことが自分にとって、最後の恋になる、って。だとしたらあたしの立場って、最後から二番目、ゴルフコンペならブービー賞で、大人のオモチャみたいな馬鹿《ばか》な賞品を貰って笑い者になるところよ。どうしてあんな、大袈裟《おおげさ》なこと書いたの？　その女性以外もう誰にも恋をしないなんて、どうしてわかるの？　あたし、もうあなたのことは好きじゃない。別に憎いとも思わないけど……ううん、あの当時は憎かったけど、今はそれも薄れて忘れかけてる。ただ、ただね、ひっかかるのよ。なぜあなたは、もう恋はこれで最後だ、なんてこと、わざわざあたしに宛《あ》てて書いたのか。あなたがバツ一だったことを隠していたのは、仕方ないかも知れない。でも、二年も前に知り合った人にそれほど惹《ひ》かれていながら、だらだらとあたしの気持ちを踏みつけにしたことは、ほんと、ひどいと思った。でもそれ以上に……不思議だったの。最後の恋にする、なんて……なぜあんなこと、書いたのか」

剛志は何度か瞬《まばた》きした。そして目を閉じ、また開けた。

「思い出した」

剛志は、ぽん、ときのこ型のパンをスプーンで割った。

「思い出したよ。……君にあのメールを書いていた時、僕はものすごく酔っぱらってたんだ。酒の力を借りないと、とても君に本当のことは言えない、そんな感じで。ちょっとだけのつもりで飲み始めたんだけど……一本、空けちゃったよ、ウイスキー。で、音楽もかけてたんだ。音楽」

「音楽……」

「サザン。わかるだろ？　サザンかけてて、それで……」

「ちょっと……まさかそれって……」

「うん」

剛志はばつが悪そうに笑った。

「いとしのエリー、がかかったんだろうな、たぶん。それを聞きながら書いたから……俺にしてみりゃこれで」

最後のレイディ。

あたしはその瞬間、心の中の海に向かって、バカヤロー、と叫んでいた。

結局、その程度のことなのだ。愛の言葉なんて。恋愛の最中に交わされる睦言《むつごと》なんてみんな、その程度の。剛志は緊張がとけたのか、せきを切ったように喋《しゃべ》り出した。最後のレイディ、にすると心に誓った女性には、めでたく思いを受け止めて貰《もら》えたこと。有頂天になって結婚したこと。結婚生活の最初はそれなりに楽しかったこと。しかしそのうち、妻となった女性の態度が変化したこと。その女性には浪費癖があり、家計を任せることができないタイプだったこと。お金のことで喧嘩《けんか》をするようになり、次第に口もきかなくなっていったこと。そして……

「最後は言われたよ。わたし、他に好きな男ができたの。だから離婚して、って」

剛志はシチューをおいしそうに食べ終え、さっぱりした顔でもう一度、笑った。

「君にひどいことした報いだね、きっと。でも今は、すんなり離婚できてラッキーだったな、と思ってるんだ。彼女は魅力のある人だったけど、基本的に、僕程度の経済力じゃ幸せにできないひとだったんだね。家政婦を雇って家事は全部他人に任せて、限度額なしのゴールドカードを持って毎日銀座で友達と昼飯を食う、そういう生活が似合う女だった。それだけのことだし、そう思えば気分が楽になるよ」

あ、こいつ、性懲《しょうこ》りもなく、また恋をしてるな、とあたしは思った。剛志の笑顔には、余裕がある。こいつがバツ二になってしまったのもなんとなく理解できる気がした。この男は、恋をするたびに相手の女を女神として崇拝してしまうのだ。そして自分がつくりあげた幻想と、生の女とのギャップに愕然《がくぜん》とし、目がさめる。そういう男なのだろう。……ということは、あたしのことだけは、女神と思わなかった、ってこと？　だからあたしたち、五年も続いたの？

あたしは笑い出した。笑いながら、ピロシキにかぶりついた。

いいわ、いい調子よ、剛志。また恋をしてるなんて、元気じゃないの。どんどんしなさいよ。どんどん、新しい恋をしてよ。そうすれば、あたしは後ろから二番目から、どんどん前に押し出される。

5

残業の真っ最中に携帯が振動した。送別会は昨夜終わり、今週ももう木曜日。明日一日で、あたしのこの会社での業務は終わる。できれば、未決箱を空にして去りたかった。だが日々仕事は新しく生まれ、途切れることはない。後任の係長にはもう辞令が出ている。明日から、その人があたしの席に座る。

あたしは少しイライラしながら携帯を取り出した。今夜は最後まで、とにかく少しでも多く仕事を終わらせたかったのに。納得しておきたかったのに。

仕事に未練があるわけではない。この業務は嫌いだ。今ではそれがはっきりとわかっている。けれど、会社員としての自分には、やっぱり未練があるのかも知れない。

表示の名前は、夫となる予定の男、だった。あたしはボタンを押した。

「はい、長崎です」

結納が済んでも、二人はまだ名字で呼び合っている。長崎さん、高橋さん。結婚式が済んだらどう呼び合うか、そろそろ相談しておかないと。やっぱり名前かな。

「高橋です」

未来の夫の声は、わずかにうわずっていた。珍しいな、と思う。普段からとても冷静で、興奮したところを見たことのない人なのに。

「あの、まだ仕事中？」

「ええ。明日で実際の業務はおしまいだから、少しでも片づけておこうかな、って」

「あ……だったら無理かな……今夜、うちに寄ってくれるの、って」

高橋のアパートは、会社からみるとあたしのマンションとは反対の方角にある。そう遠くはないけれど、一度反対方向に行ってから帰るのは少し、めんどくさい。でもあたしは即座に言った。

「いいですよ。どうせ朝までやっても終わりそうにないし、このへんで切り上げます」

もう八時近い。こんな時間から自分のアパートに来てくれ、というのは、きっと、何かあったのだ。あたしたちはまだ、男と女になっていない。婚約する直前にキスまではしているけれど、高橋の頭の中には婚前交渉をあえて積極的にしようという考えはないように感じられたし、あたしの方も、恋をしているわけではないんだから、そう焦《あせ》らなくても、どうせ結婚したらこの人としかセックスできなくなるんだし、という妙な距離感があった。だからデートの後で高橋のアパートに寄ることはあっても、少し長いキスをするくらいでそれ以上には進まなかった。もちろん、終電を逃したことなどない。

高橋は、少し安心したような声で、ありがとう、待っています、と言って電話を切った。やっぱり何か起こった。なんだろう? また「実は最後の恋が」などと寝言を言われてふられるのだろうか。まさか。まさか今になって。

あたしはばたばたと仕事を終えて机の上を片づけ、走るようにして会社を出た。地下鉄に飛び乗り、四駅。改札からは小走りになる。不思議なことに、一刻も早く高橋の顔が見たい、と思っていた。悪い想像が頭を何度もよぎったけれど、どこかから、いいや違う、高橋は違う、剛志とは違う! という声が聞こえて、そしてその声が次第に大きくなっていく。

高橋のアパートにたどり着いた時には、息があがっていた。

六畳が二部屋に台所とユニットバスの、質素なアパートだ。医者が住んでいる建物には、どう見ても見えない。インターンになった時に引っ越して来て、以来、十年以上住み続けているらしい。都心で便利だから、と言っていたけれど、住むところになどこだわりを持たない性格なのだろう。

呼び鈴を押すとすぐにドアが開いた。

あたしは挨拶《あいさつ》をしようとした。が、言葉を呑《の》み込んだ。

高橋が何かを抱いている。

猫。

白と茶色の縞《しま》模様の、見事に太った、猫。

「あの、その猫……」

「タマミなんだ、こいつが」

タマミ？　あ、それって、あたしたちが貰うことになっている子猫を妊娠中の……

「大変なことになっちゃったんだ」

高橋は声をひそめていた。そうか、このアパートはペット禁止だ。あたしは肩をすくめ、ドアの内側に入った。靴を脱いであがり、高橋のあとについて、居間にしている部屋に向かう。猫はおとなしい。あたしを見ても、にゅあ、とも鳴かない。図太いのかも知れない。

「同僚の伊東の猫なんだけどね、ほら、前に話した」

病院のレントゲン技師で、高橋とは仲がいい男だというのは聞いている。タマミの飼い主だということも。

「伊東がさ、猫アレルギーだって、バレちゃったんだ」

「……バレちゃった？」

「うん」

高橋は生真面目《きまじめ》な顔で頷いた。

「本人はだいぶ前からそうじゃないかと思っていたんだって。でもこいつと別れたくなくて、ずっと隠してたんだ。症状が段々ひどくなって、とうとう顔が腫《は》れあがっちゃってさ。井上先生が見つけて、説得して検査を受けさせたら、ものの見事に猫アレルギーだって。今日からもう、猫は遠ざけないと駄目だって言われて、とりあえず預かったんだけど」

高橋の腕の中で、タマミがくつろいだ欠伸《あくび》をした。猫の口ってなんて大きく開くんだろう。顔がめくれてしまいそう。

「ここ、ペット禁止だし、明日中には預かってくれるとこ探さないとならないんだけど」

高橋があたしを見ていた。なんだか切ない目。あたしに何かを頼もうとしている。どうしてこんなに必死な顔ができるんだろう。猫のことなのに。

あたしのお腹《なか》の底の方から、何かとても温かいものが、じんわりと湧《わ》いて来た。それはあたしのお腹を満たし、次第にからだの隅々にまで広がっていく。

あたしのマンションはペットが飼える。どうせ結婚したら飼うつもりだったし。

「いいわ」

あたしは手を伸ばし、猫に触れた。タマミはまるで何もかも理解しているというように、ごく自然にあたしの腕の中へと移って来た。

「今夜からうちに連れていくわ。いいじゃない、どうせ結婚して落ち着いたら子猫を貰うつもりだったんだし、おかあさんも貰っちゃいましょうよ」

高橋の表情が、やわらかく、優しく、溶けた。泣き出しそうな顔にも見える。

「ありがとう」

高橋は囁《ささや》いた。

「でも……もうすぐ生まれちゃうみたいなんだ。あと一ヶ月くらいで」

「うん。そうみたいね、このお腹。ぽんぽんだもの」

「……旅行中にペットホテルとかに預けられないかも知れないんだ……妊娠してるし、臨月だし」

高橋は、とても申し訳なさそうな顔で、眉《まゆ》を寄せた。

あたしは、ふっ、と笑った。高橋が何を心配していたのか、それがわかったのだ。高橋はどのみち、この猫を手放すつもりなどなかったのだろう。そしてあたしが、この猫を飼うことに同意することも予想していた。問題は、新婚旅行の間、臨月の猫を預かってくれる人などいないかも知れない、そのことなのだ。

あたしは、歌うようにふしをつけて言った。

「ハネムーンなんて、いつだって行けるにゃーん。別に式のあとすぐに行かなくたって、いいにゃーん」

何かがあたしの頰に触れた。高橋の指だ。猫を抱くあたしを、高橋が抱いている。

新しい恋が、やっと始まったらしい。あたしは、自分の幸運を神様に感謝したい気持ちになった。

このひとでいい。

このひとが、いい。

今なら、酔っぱらった剛志のあの時の気持ちも、サザンオールスターズの気持ちもわかる気がする。最後の恋。これで最後。それは、ラスト、という意味じゃなくて、ベスト、という意味なんだ。今、好きなひと。今、好きになったひと。そのひとのことが、今までで
いちばん好き。そういう意味なんだ。だったらあたし、これが「最後の恋」でいい。

あたしたちは、猫をいちばん内側に抱いたまま、キスをした。長くて熱くて、でも優しいキスだった。でもムードには流されないぞ、と思う。結婚生活はケーキみたいに甘いばかりじゃないってこと、剛志がちゃんと教えてくれたじゃない？
いろんなことを二人で決めないと。いろんな話し合いをして、たまには喧嘩もして。ああ、仕事のことも。落ち着いたらやっぱり、勤めに出たい。専業主婦なんてあたしには向いてないもの。それからそう、家具はもう一度、二人で選ばないと。生活のすべてをあたしに任せられるなんて、そんなのごめんだし。カーテンの色だって、できればこのひとの好きな色にしてあげたいし。もちろん、それがあたしの嫌いな色でなければ、の話だけど。

それから、それから。なんて忙しいのかしら。恋が始まったばかりなのに、結婚生活も始まってしまう。とりあえず、何から手をつけよう。何から……

「真由美」

高橋が囁いた。

「今夜からそう呼んでいいかな」

高橋の指が、あたしの胸の上で迷っている。あたしはその指を摑《つか》み、猫の背中の上に置いた。

「友之《ともゆき》さん？　トモさん、でもいい？　いきなり呼び捨てはしづらいし」

「うん」

友之の指が、もう一度、猫の背中からあたしの胸に移動した。

今度は、その指を摑まなかった。

わたしは鏡

松尾由美

松尾由美（まつお・ゆみ）
一九六〇年、金沢市生まれ。お茶の水女子大学文教育学部外国文学科卒。ＯＬを経て作家になる。
一九八九年に『異次元カフェテラス』を刊行。一九九一年、短篇『バルーン・タウンの殺人』でハヤカワＳＦコンテスト入選。人工子宮による出産が一般的になった近未来の東京の、ふつうの妊娠・出産を望む女性だけが暮す街で起こる事件の謎を、妊婦探偵・暮林美央が解き明かす同シリーズで注目される。
他の著書に『ブラック・エンジェル』『ピピネラ』『銀杏坂』『スパイク』『安楽椅子探偵アーチー』『雨恋』『九月の恋と出会うまで』『人くい鬼モーリス』などがある。

「ねえ、編集長」

自分に向けた呼びかけだと、比呂《ひろ》が気づくまでにしばらく時間がかかった。

「あっ、わたし？」

「ほかにいないじゃないですか。まったく鈴木先輩はぼんやりなんだから」

鈴木比呂は大学の文芸部に所属している。秋の学園祭と、春の新入生歓迎にあわせて会誌を発行するのが主な活動で、その編集長は代々三年生がつとめることになっていた。

来月出る秋号で、比呂がその立場になったのは、別に有能だからではない。むしろ、たった今言われたように、ぼんやりしているからだ。ほかの三年生たちと話していて気がついたら、いつの間にか自分がやることになっていたというわけだ。

そう、わたしは編集長。だからこそ、こんな気持ちのいい日に——陽射《ひざ》しはまぶしく、風は涼しく、それが肌寒さに変わるにはまだ間のある午後に、こうして部室なんかにやってきて、堅いベンチに腰をおろしている。

サークル棟と呼ばれる建物はグラウンドに面したプレハブで、床が砂埃《ぼこり》でざらざらする。文化系サークルの部室がいくつかあるが、いつもほとんどひと気がない。日ごろの雑談などには、学生会館のソファを利用することが多いのだ。文芸部も例外ではないけれど、何か作業をする時にはどうしても、大きな机のあるここを利用することになる。

文芸部は小さなサークルで、部員は総勢たったの八名。四年生が男女ひとりずつ、三年生が男子ひとりと女子が(比呂を含めて)二人。一年生は男女ひとりずつ。そして二年生がひとりだけ、机をはさんだ反対側のベンチに腰をおろしている田村いずみだ。

ショートヘアに眼鏡をかけた彼女は、どことなく漫画の登場人物みたいに見える。化粧気のない顔で服装はいつもジーンズ、特別美人ではないけれど不思議と絵になる、そっけないかわいらしさみたいなものがある。小柄で華奢《きゃしゃ》――という印象を何となく持っていたので、いつか並んで歩いた時、百六十五センチの比呂と同じくらい身長があるのを知って少し意外な気がした。

か?」

「ところで編集長」田村いずみはもう一度言って、「みんなの原稿はどんな感じですか?」

「森くんは順調に進んでるって言ってた。八十枚くらいの文芸大作なんだって。何しろ高校生の時から小説を書いてて、新人賞に応募したこともあるっていうから、期待してていいと思う。相沢さんのほうはどうかな、『まだ一週間ありますよね?』なんて、いつもの調子で言ってたけど」

比呂は二人の一年生の対照的な表情を思い浮かべながら言った。

「三年生は、川辺くんが五十枚、吉岡さんが三十枚くらい書くって。ただ二人とも、何だかんだ言って締切りを延ばそうとする癖があるから、気をつけないと」

「鈴木先輩自身はどうなんですか」

「わたしは今回編集作業があるから、二十枚だけ」

「で? もうできてるんですか?」

「半分くらい」比呂は正直に答えてから、

「四年の先輩たちは、柳井《やない》さんが五十枚くらいだって。あの人は一度も締切りに遅れたことがないから、信頼していいはず。就職ももう決まってるっていうし」

「女子校の先生でしたっけ」

「いかにもお似合いって感じですね」

いずみが言い、比呂も柳井のきっちり編み込んだ髪型を思い出しながらうなずいた。

「そう」

「高野先輩のほうはどうなんですか」

その名前を聞くと心臓がひとつ跳ねるような気がする。話の流れからいってわかっていることなのに。

「努力する、だって。そう言ってた。この前電話した時に」

編集長を引き受けてひとついいことがあった。比呂はそう思っていた。日ごろ気軽に電話などできない相手に、電話する口実ができるからだ。たとえば、学部もちがう男子の先輩に。

「高野先輩は就職しないんですか」

「大学院に進学するんだって」

「それも電話で聞いたんですか?」

「そう」

「じゃあ、けっこう長く話したんだ」

一瞬返す言葉につまり、いずみの顔を見ると、からかうようなにやにや笑いを浮かべている。

「ともかく、今の段階で原稿が入ってるのって、田村さんひとりだけだよ」

頬がかすかに赤くなるのを自覚しながら、比呂は強引に話題を変えた。

実際の話、いずみは先週のうちに原稿を入れてくれていた。それもアメリカの現代作家の短編の翻訳だ。

比呂たちの大学にかぎったことではないが、文芸部の部員といえば、小説家志望だったり、真剣に志望しているわけではなくとも漠然と『いいな』と憧《あこが》れたりしている学生が多い。

だから会誌の原稿は創作が大半をしめることになり、評論や翻訳は、誌面に変化をつける上で貴重だった。そして田村いずみは、入部以来、その評論や翻訳の原稿を寄せてくれるありがたい存在だった。

「田村さんは創作はやらないの」

たしか去年の今ごろ、秋号の編集長だった高野がそうたずねたことがある。

「これだけしっかりした文章を書けるんだし、創作も見てみたい気がするな」

横で聞いていた比呂は、いずみをうらやましく思ったものだった。わたしも高野さんにほめられてみたい。文章がしっかりしているでも、姿勢がいいでも、親指の爪《つめ》の形でも、どんなささいなことでも。

「さてと、仕事仕事」

比呂はことさらに大声を出して立ち上がり、背後のロッカーのほうを向いた。

「原稿もほとんど入ってないのに、できることなんてあるんですか？」

「構成を考えるの」と比呂。「みんなが予定通りの長さで書いてくれたとして、だいたいのページ数の分だけ色のちがうメモ用紙をそろえる。それを重ねたり、順番を変えてみたりして、会誌の模型を作るわけ」

先週の土曜日に作りかけたものがそこにしまってある。比呂は上着のポケットからロッカーの鍵《かぎ》を出してさしこむ。

「そういうの、先輩が自分で考えたんですか？」

「まさか」

「じゃ、誰かに教わったんだ。高野先輩？」

そうじゃなくて――答えようとした時、机に置いた携帯が鳴り、比呂はわれ知らずどきりとした。

「誰からだろう？」

「ちょっと、勝手に見ないでよ」

高野の名前が出たばかりなので、反射的に彼かもしれないと思ってしまう。自分でもばかみたいだとわかっているけれど。

比呂は携帯を手に取る。いずみはわざわざ机をまわってやってきて、うしろからのぞきこもうとやっきになる。

まったくもう。どうしてこの子は、こんなにわたしをからかうのか。

背中でブロックしながら発信者を見ると、「非通知」になっている。ちょっと迷ってボタンを押すが、すでに通話は切れていた。

「間違い電話かな。非通知だったし」

照れかくしに言って、ロッカーの扉を大きく開けた。とたんに、あれっと思う。顔の高さの段に、見慣れない封筒があったのだ。

部室のロッカーの下のほうは、ちょっとしたブラックホールだ。何年前からあるのかさえはっきりしない、汚れた封筒やら段ボール箱やらが押しこまれている。けれども上の数段だけは、去年部長だった柳井のおかげできちんと整理され、ゆとりもあった。

問題の封筒は、ノートばかりが並んでいる段の真中にさしこまれ、二センチほど手前にはみだしていた。下の段にいくつもあるのと同じ、A4サイズの茶色い封筒だが、真新しくきれいなものだった。土曜日に見た時には、こんなものは入っていなかった。

「何だろう？」

比呂が手にとりながらつぶやく。

「誰かの原稿が上がったのかも」

いずみが言う。そう、誰かが原稿を書き終え、そこへ入れておいたのかも。比呂はベンチに腰をおろし、封筒の中身をとりだした。

たしかに、原稿だった。小説らしい文章がワープロで印刷されていた。四、五ページ——原稿用紙にして十枚ちょっとだろうか。

ただ、妙なことがある。作者の名前がどこにもないのだ。それどころか、タイトルも見当たらず、いきなり文章がはじまっている。ただそれだけ、封筒をひっくり返してのぞいてみても、メモ用紙一枚入っていない。

素頓狂《すっとんきょう》に眉《まゆ》をあげ、比呂の顔と原稿を見くらべていたいずみが、普通でない気配を察したらしく隣にやってきてのぞきこむ。比呂も今度は追い払ったりせず、二人で肩をならべて読んだ。

それは、こんなふうな文章だった。

＊

わたしは、鏡である。

並木道に面した建物の二階にある美容院、床まで届く窓から流れこむ陽射しや、優雅なよそおいの客であふれる店がわたしの居場所だ。

美容院の鏡、けれどもそう聞いてあなたが一番に想像するものではない。窓ごしの木漏れ日、美容師たちの魔法の手ぎわとそれに魅了された客たちのほほえみ、はにかみとうぬぼれ。そういったものをいつも映し出す、壁にとりつけられた大きな鏡ではない。

あなたも知っているはず。美容師の魔法がひと通り終わったころ、まだ若い見習い――あなたの髪を切ることはなく、ブラッシングしたり、シャンプーで洗ったり、カーラーを巻く時に手伝ったりする役の見習いが、それまで立っていた片隅を離れて歩み寄ってくる。

木製の枠に入ったものを両腕に抱えていて、あなたのそばへ来ると裏返す。それは鏡だ。正面の大きな鏡には映らない、うしろ側の仕上がりをあなたの目に見せるための。

それが、わたしなのだ。

最初に言ったことは嘘《うそ》ではない。色彩と形、さまざまな動きの渦巻く美容院にわたしはいる。けれども、わたしという鏡の中にそれらが像を結ぶのは、一日のうちごくわずかな時間だけだ。

ほとんどの時間は店の隅の棚に、いつも壁のほうを向けてしまわれ、自分自身がつくりだす影の中にいる。

そこから抜け出すのはほんの時折、見習い美容師がやってきてわたしを抱えあげる時だが、いよいよという瞬間までガラスの面を胸に押しつけているので、わたしに見えるのはわずかにさしこむ光が照らす、彼らのシャツやエプロンの切れ端だけだ。

それから、あの瞬間がやってくる。まずわたしの身体《からだ》が上下に揺れ、それがやんだ時、世界が反転する。

光がわたしの中に流れこんでくる。色彩が、動きが、たくさんのものごとがわたしのガラスの奥でひと時の形を結ぶ。

そう、ほんのひと時にすぎない。この場の主役である客が、わたしが映し出すものに満足し、かたわらの美容師にうなずきかけるまでの。それでわたしは用ずみとなり、さっきのコースを逆戻りして、いつもの棚の暗がりに戻る。

光の中ですごす時間はあまりに短い。とはいえ、鏡として生まれてからの久しいあいだずっとこうだったので、今さら嘆く気持ちもなかった。それにまた、わたしは影の中で考える。短いからこそ輝いて見えるのかもしれない。

だからこそ、たまさか自分の中に映し出されるものごと――棚に並んだガラス瓶のきらめく肩口や、椅子《いす》の背のなだらかな形、ドライヤーの電源コードが描く疑問符のような曲線、そういったすべてを愛《いと》しく思うことができたのかもしれない。

すべてを、とわたしは言った。その通りだ。わたしは嘘つきではない。鏡に嘘はつけない。だから「すべてを同じように」とは言わなかったはず。

特別なもの、特別に愛しいものが、わたしにはあった。

その人がはじめて店にやってきた時のことを、わたしははっきりとおぼえている。といっても扉を開けて入ってくるところを見たわけではないのだが。

わたしがおぼえているのは、いつものわたしの日常、暗がりから引き出されるお決まりの手順を経て、光がわたしの中に流れこんできた時のことだ。

光だけではなく、その人のつややかな髪、反対側の大きな鏡に映る目のきらめきやくちびるの曲線、なめらかな肌に睫毛《まつげ》の落とす影。

わたしの言葉を信じてほしい。短からぬ日々を美容院の鏡としてすごすあいだには、もっとつややかな髪やなめらかな肌を見たことがあった。目のきらめきやくちびるの曲線にしても、少なくとも、さほど劣りはしないものを見かけたことはあるはずだった。

だとすれば、いったい何が、わたしの心をそうまで揺さぶったのか。

それからというもの、わたしの暮らしは一変した。それまでは単なる影と光のくり返し、影がひときわ長くつづくのが夜で、夜から次の夜までのあいだを一日と呼ぶことがわかっている、そんなものにすぎなかった。

そういうわたしが、次にその人が来るのはいつだろうと考え、待ちこがれるようになったのだ。「一日」のくり返しがいくつ起きればそうなるのか。人間たちが「一日」と呼ぶものの本当の意味を、わたしはこうして発見したのである。

幸せなことに、その人はそれからも店を訪れつづけ、間隔はおおよそ三十日に一度くらいだった。それを「ひと月」と呼ぶことも、今ではわたしは知っていた。

そして「ひと月」ごとに、窓の外の並木のようすが変わってゆくことも知った。窓がわたしの中に映るのは、裏返される途中のほんの一瞬にしかすぎなかったので、それまでろくに注意を払っていなかった。

咲き誇るピンク色か生い繁《しげ》る緑か、不毛な焦茶色《こげちゃいろ》かというだけではなく、もっとさまざまな段階があることを知った。店を訪れる客たちのよそおいがそれに応じて変化することも。

「ひと月」がいくつか過ぎるころ、「季節」が変わったと人が言い、「ひと月」を十二数えれば「一年」となり、そこで「季節」がひとめぐりすることも知った。

こうしたことはみんな、その人がわたしに教えてくれたのだといえる。もちろんその人自身は少しもあずかり知らず、わたしの存在さえ気にとめていなかったはずだが。

そうしたことを知って、わたしが以前より幸福になったか、あるいは不幸になったかはどちらともわからない。

一日に数度訪れる、光を全身に浴び、色や形を映し出している時間のことを、輝かしいとまでは感じられなくなった。わたしの暮らしが色あせてしまった、そう言うこともできなくはない。

けれどもそのいっぽうで、本当に輝かしい瞬間、ひと月のあいだを今か今かと待ったあげくに訪れるつかのまの輝かしさは、それをつぐなって余りあるものにまちがいなかった。

わたしは美容師を羨《うらや》むまい。当然のようにその人の髪に触れるばかりか、瞳《ひとみ》をいっそうきらめかせ、くちびるの曲線を深くするすべを心得ているからといって。

壁の大きな鏡――わたしとは種類のちがう鏡のことも羨むまい。その人が店を訪れてから帰るまで、ほぼずっと姿を映していることができるからといって。

わたしは、今あるようなわたしでしかなく、そういうわたしの一生の中でその人に出会えたことをよかったと思う。

その人を見つめていられる短い時間を、かけがえのないもの、わたしの手に入る最上のものだと思う。たとえその人が正面からわたしを見つめてくれたことは今までになく、これからもないとわかっていても。わたしはうしろから遠慮がちにのぞきこむだけで、その人の目も、くちびるも、わたしでないほかの存在に向けられるものであったとしても。

だとすれば、わたしはやはり幸福だったのだ。

こんなふうに、わたしの日々がすっかり様相を変えてしまってから、すでに一年とその半分がすぎた。

その人と出会った時は春だった。今は秋で、あの頃一杯にピンクの花をつけ、重たげにさえ見えた並木の梢《こずえ》は、赤茶けた葉をまばらに貼《は》りつけているばかりだ。

木の葉が落ちてゆくところを見たことはない。前に言ったように、窓がわたしの視界に入るのはほんの一瞬のあいだにすぎないからだ。けれども気づくたびに枝がむきだしになっている以上、わたしの見ていないあいだに一枚ずつ梢を離れ、ほかのあらゆるものと同様、重力に従って落ちてゆくのだろう。

そうして、あれらの木の葉と同じように、わたしもまたいなくなろうとしている。

誰も気づいていないこと――いつもわたしを抱えあげる見習い美容師さえ知らないことだが、わたし自身にはちゃんとわかっている。かすかなひびがわたしの中に育っているのだ。

ガラスの奥に生じたごく浅い亀裂《きれつ》は、表面からはよほど注意深くのぞきこまないかぎりわからないだろう。静かに、けれど着実に少しずつ長さを増し、今ではわたし全体の数分の一に達している。

その人と出会ってわたしがはじめて知ったもの――時間が、鏡としてのわたしの寿命に追いつこうとしているのだ。

遠くない先のいつか、確実にそれは起こる。ある長さまで育った亀裂は、それまでどうにか保っていたバランスを崩し、わたし全体の重さに耐えかねて急激に深さを増す。わたしという鏡はばらばらに壊れて枠からこぼれ落ちる。

それが避けられないことははっきりしている。ならば、とわたしは考える。起こるのはいつがいいだろう。

わたしにとって輝かしくかけがえのない瞬間、光の中で、その人の姿を映している時であってほしい。わたしの自分勝手な心はそう考える。けれどもより冷静な心は、それがありそうにないこと、また、あってはならないことだとわかっている。

やはり、慣れ親しんだ影の中がいい。一日の大半をすごす壁ぎわの棚の中で、まわりに誰もいない時に。一番ありそうなことだし、それなら誰を傷つけることもないはず。

なぜいけない？　多くのものが、誰も見ていないところで消えてゆく。窓の外の梢から、次に見た時にはなくなっている木の葉のように。

たとえガラスの表面に何ひとつ映っていなくとも、面影を抱いて消えてゆくことはできるはずだ。わたしの思い、この最後の恋が、じゅうぶんに強ければ。

＊

午後の授業に出席しながら、比呂の心は教室を離れてあちこちさまよっていた。

昨日あれから電話したり、今日学内で会ったりして、部員たちひとりひとりに質問した。タイトルも作者名もない原稿を、部室のロッカーに入れておきはしなかったかと。

ほぼ全員と話すことができ、返事は判で押したように、そんな原稿など知らないというものだった。文芸部員のしわざに決まっているのに。会誌の締切り一週間前というタイミングや、誌面に合わせた印刷のしかたからいって。

連絡がつかなかったのはひとりだけ、一年生の相沢だ。けれども彼女はまず無関係だろうと見当をつけていた。あの原稿の物悲しい雰囲気と、あっけらかんとした彼女のイメージが結びつかないのも事実だけれど、それだけではなかった。

ロッカーの鍵《かぎ》のことがあるからだ。貴重な本、部費の一部なども入っているロッカーにはいつも鍵がかかっている。

そして鍵は五本しかなく、毎年上級生が持つことになっていた。今年の場合、四年生と三年生でちょうど五人。だからどうしても、その五人から比呂自身をのぞいた四人を「容疑者」と考えることになる。

同じ三年生の川辺亮一《りょういち》と吉岡翠《みどり》、四年生の柳井志乃《しの》と高野収《おさむ》。そういうことになる。

その中でも、比呂の考えがつい向かってしまうのは高野のことだった。

比呂は高野に好意を持っている。もっとはっきり言えば、恋している。片思い――

なのだろう。少なくとも今現在、恋愛感情を持たれていないことは何となく雰囲気でわかる。といって嫌われているわけでもなさそうだから、もし高野に別の相手がいなければ、チャンスがあるともいえることはいえる。

高野のどこが好きなのか。自分にたずねた時、「顔」という答えがまっさきに返ってくるのはわれながら軽薄だと思う。けれども、しょうがない。高野の顔はただ整っているだけではなく、比呂の好きな顔なのだ。

線の細い顔立ちだが、女性的ではない。切れ長の目、眉《まゆ》や口元にもくっきりした凜々《りり》しさがある。爽《さわ》やかでいて、どこか少しだけさびしい。季節でいうと秋を思わせる。そんな人だと、比呂は内心でずっと思っていた。

誰が見てもハンサムで、噂《うわさ》によれば成績も優秀らしい。けれども普通そういう人が発する華やかな雰囲気が、高野からは今ひとつ感じられない。

それは、と比呂は考える。たぶん、高野さんの病気のせいだ。

くわしいことは知らなかった。ただ本人が何気なく漏らしたり、同学年の柳井が言葉を選んで話すのを折にふれて聞いただけ。

つまり、高野には少年時代からの持病がある。命にかかわるようなものではないが、激しい運動は禁止、また定期的に大きな病院に通って検査や治療を受けなければならない。これまで何年もそうしてきたし、「医学がSFみたいに進歩しないかぎり」今後もずっとつづくのだという。

比呂が入部した時から、高野はやさしく面倒見のいい先輩で、快活な人でもあったけれど、ほんの時折「影」を感じさせた。みんなで雑談している時、『ぼくには関係のない話だけど』とでも言っているような、透明な表情をふっと見せることがあった。誰かが旅行に行った話、先輩の就職の話などの時。

教授が板書し、周囲の学生たちがノートにそれを書き写し、比呂もあわててそれにならう。けれどもひとしきりすむと、シャープペンシルを持った手で頰杖《づえ》をつき、例の原稿のことを考えている。

昨日部室であれを読んだ時、と比呂は思う。すぐに高野さんのことを考えたのは、わたしが高野さんを意識しているからじゃない。そのせいもあるかもしれないけど、決してそれだけじゃない。

四人の「容疑者」の中で、「いつも影の中にいる」という主人公の鏡のせりふが一番似合うのは高野さんではないだろうか。

女子校の教師になることが決まっている柳井の印象は地味だけれど決して暗くはない。きまじめで冗談ひとつ言わないが、有能で実際的でさばさばしている。

川辺亮一は高野ほどハンサムではないもののスタイルがよく、服の着こなしがうまく、流行の遊び場などもよく知っているタイプ。そしてもうひとり、吉岡翠ときた日には。

こんな人が本当にいるんだ――というのが、彼女にはじめて会った時の正直な感想だった。羨んだり妬《ねた》んだりというレベルを超えて、つくづく感心してしまうくらいきれいな人が。

つぶらな瞳も、厚すぎず薄すぎもしないくちびるも、ひきしまった輪郭の中で最高の位置におさまっている。ゆるいウェーブのシンプルな髪型、化粧も控えめだ。とはいえ、ファッションや季節に合わせたポイントメイクはうっとりするほど上手なので、ただ「素材で勝負」と思っているわけでもないようだ。

要するに、比呂以外の三年生は、二人ともいかにも異性にもてそうなタイプ。だからといって悩みがないわけではないだろうが、少なくとも恋愛に関して、好きな人をいつもうしろから見ているというイメージとはほど遠かった。

だから二人とも、あの原稿の作者ではありえない。そう考える。あの短い物語は、主人公である鏡に作者が思いきり感情移入して書いたもの――自分自身の恋愛を重ねあわせたもの、そんな気がしてしかたがないからだ。

もちろん創作であり、フィクションだ。そもそも鏡が意識を持ったり、人間に恋をするなんてありえないし。けれども主人公の思い——好きな人がいるが決してふりむいてはもらえない、それでも知り合えてよかったと思うほどその人のことが好きだという、その気持ちは、現実の作者の気持ちを反映したものにちがいない。

だとすれば、純粋でひたむきな、けれど自分から一歩踏み出すことがどうしてもできない——そんな恋が似合う人物はほかに見当たらない気がする。ロッカーの鍵のことをとりあえず無視して、文芸部の全員に「容疑者」の範囲をひろげたとしても。一年生の森は直情径行型、誰かを好きになれば行動を起こすタイプだろう。相沢はちやほやされるのが好きなタイプ。二年の田村いずみは飄々《ひょうひょう》として、あまりものごとを思いつめるようには見えない。

たぶん、高野さんだ。きっとそうだ。けれどももしそうだとすれば、あのストーリーに託した恋の相手とは誰だろう。

一番ありそうなのは——授業時間終了のチャイムを聞きながら、かすかな胸の痛みとともに比呂は思う。やっぱり、吉岡さんかな。

比呂は傾いた陽射《ひざ》しに背中を押されるように、校門に向かって歩いていた。

足元ではここ数日でめっきり涼しくなった風が、気の早い落ち葉を吹き寄せている。来月はじめの学園祭のころには、もっとたくさん散っているだろう。どこかでロックバンドが練習しているのが聞こえる。印象的なギターソロと、ボーカルのサビの部分を何度もくり返している。すでに立て看板を準備しているサークルもあり、学内にお祭り気分が高まりはじめていた。

そんな中、文芸部の会誌の原稿は相変わらず集まらない。締切りは来週月曜日、三日後に迫っているというのに。

本当のことをいえば、比呂自身の原稿だってまだ完成してはいない。ただしこれには言い訳があって、みんなの原稿が入ったあと、全体がちょうどいいページ数になるよう自分の原稿で調節するため——という名目になっている（そういうノウハウは全部、春号の編集長だった柳井から教わった）。

Gジャンの襟を立てて歩きながら、行く手に向かってため息をつく。会誌を無事に出せるのだろうかという心配もさることながら、気になっていることはほかにもあった。数日前にロッカーで見つけたあの原稿のことだ。

書いたのは高野さんだ。比呂の頭の中ではすでにそういうことになっていた。高野さんが自分の恋を、鏡を主人公にしたフィクションにしあげたもの。匿名《とくめい》にしたのは、相手に自分の思いをわかってほしいような、またほしくないような微妙な心理、高野さんらしく一歩踏み込めない態度のあらわれだろう。

比呂はそう考え、それが「誰に向けた思いなのか」という点が一番の関心事だった。つい昨日まで、そのことばかりにとらわれて悶々《もんもん》としていたと言ってもいい。けれども今は、それ以上に気になることがある——

「やっぱり、鈴木先輩だ」

いきなりうしろから声がして、比呂は跳びあがるほどびっくりした。とはいえ、声にはなじみがあったし、だいいち鈴木先輩などという呼び方をするのはひとりしかいない。

「どこへ行くんですか」

田村いずみが、いつもの飄々とした顔つきでそこにいた。足元はスニーカーなので、音はほとんどしないらしい。

「帰るところだけど」

「まっすぐ？」

並んで歩き出しながら、ほぼ同じ高さにある比呂の顔をのぞきこんでたずねてくる。

「何か用事とか、予定とかあるんですか」

す」

「ううん、別に」

「だったら、ちょっと寄り道しませんか。前から行ってみたかったお店があるんで

田村いずみの言う店とは、ＪＲと私鉄が交差する町に最近できたらしいビアバーだった。椅子《いす》やテーブルはモノトーンで現代的だが、煉瓦《れんが》の壁や照明の色合いが温かい。

「いい感じのお店だね」

「だから来てみたかったんです」

わたしじゃなく彼氏でも誘えばいいのに。そんな決まり文句を言いかけた時、ウェイターが注文を取りにきた。驚いたのは、いずみがミネラルウォーターを頼んだことだ。

「なんで？」

「だって、未成年ですから。わたし」

たしかに、大学二年生だから、誕生日前ならまだ十九歳のはず。

「誕生日は一月なんで。だけどちょくちょく前を通って、すてきな店だなと思ってたから」

「じゃ、また来ようよ」比呂は言う。「来年。田村さんの誕生日にでも」

いずみはあいまいに笑って答えなかった。そりゃそうだ、と比呂は思う。誕生日には、それこそ彼氏と来るのかもしれない。彼氏がいるのかどうかはっきりしたことは知らないけれど。

比呂の注文したビールと、いずみのミネラルウォーターが運ばれてきてから、

「ところで編集長。会誌のほうはどうですか」

「まあ、相変わらずだね」

「ていうと」いずみは唇をとがらせ、「あれから原稿は増えてないってことですか？」

「そう。田村さんの翻訳だけ――それと、例のやつと」

二人はちょっとのあいだ黙った。比呂はいずみの透き通ったグラスを見つめ、いずみは比呂の黄金色のグラスを見つめている。

「部員のみんなに聞いてみたんですよね？」いずみが沈黙を破り、「あの原稿のこと。鏡がどうのこうのっていう」

「うん。みんな知らないって。高野さんにも川辺くんにも森くんにも電話した。あと柳井さんにも、相沢さんにも」

「あとおひとりはどうなんですか？」いずみがたずねる。「うるわしの吉岡先輩は」

そういえば、と比呂は思い出す。以前数人で無駄話をしていた時、「吉岡先輩って、何かこう、枕詞《まくらことば》をつけたくなるような感じですよね。『あをによし』とか、『ひさかたの』とか」

いずみがそんなことを言っていた。「あをによし」は奈良、「ひさかたの」は光その他の枕詞なのででたらめだが、言いたいことは何となくわかる。

「吉岡さんとは、あの次の日にばったり会ったから、直接聞いてみたんだけど」

図書館の前だった。木漏れ日が吉岡翠の髪をきらめかせ、磁器のような頰に影を落としていた。藍色《あいいろ》のブラウスがよく似合っていた——とはいえ、翠の服装を見て「よく似合う」以外の感想を抱いたことなど一度もない。

「もちろん知らないし、見当もつかないって。あの原稿のあらすじを説明したんだけど、『ふうん』みたいな、特に興味はないけど礼儀上聞いておくって感じだった。急いでたのかもしれないし、わたしの説明も下手だったんだと思う」

「ああいうふうにきれいな人だと」いずみが言った。「いろんなことがどうでもいいのかもしれませんね」

「そうなのかも」比呂が答える。「でもちがうかも。想像もつかないな、わたしなんかには」

テーブルの向こうでいずみが、何かを言いかけてやめたような顔をする。いっぽう比呂は何を言ったらいいかわからず、ビールをひと口飲む。ほろ苦さで気持ちがひきしまり、気になっていたことを思い出した。

「ねえ、田村さん」

「何ですか？」

「あの原稿の中で、主人公が『最後の恋』っていう言葉を使うじゃない。おぼえてる？」

「ええ。たしかにそうでしたよね、それで？」

「あれ、どういうことだと思う？」

「どうって？」

「あの原稿は、作者が自分の気持ちを託したものなんだと思う」どうもうまく言えない。「いえ、小説なんてみんなそうなのかもしれないけど、あの原稿の場合は、作者の経験を直接反映してる。あそこに出てくる鏡の恋っていうのが、そのまま作者の恋なんだと思う。もちろん本当にそのままじゃないけど。言ってることわかる？」

「つまり」眼鏡をかけたいずみは、賢い猫みたいに小首をかしげる。「作者が実際に恋をしていて、その恋を、大まかな構図とかはそのままで、カリカチュアして描いたのがあの原稿だってことですか？」

「そう。そういうこと」

さすが会誌に評論を寄せるだけのことはある。比呂はそう思う。自分がアルコールを飲んでいて、いずみは水というだけのちがいではないだろう。

「もしそうだとしたら」勢いづいてつづける。「あのラストで『最後の恋』っていう言葉が出てくるのは重大なことじゃない？」

「重大って？」

「実際に、作者にとってそれが最後の恋なんだって、そういうことにならない？　どうしてあの鏡はあんなことを言うのか。誰が作者で、その人が誰に恋してるのかっていう以上に――」

比呂は言葉を切った。自分の声が大きくなっているのに気づいたからだ。かすかに頬が赤くなるのを感じる。

田村いずみは背筋をまっすぐ伸ばしてすわり、すっきりした顔の眼鏡ごしにそんな比呂の顔を見ていた。やさしくも、また冷たくも見える目つきだった。比呂よりずっと年上のような態度。実際には一学年、年だけを見れば二歳も下の未成年なのに。

「鈴木先輩は」おだやかな声で言う。「誰があの原稿を書いたと思ってるんですか？」

「高野さん」

比呂は正直に答える。今のいずみの態度には威厳みたいなものがあり、つられて何もかも話してしまうような気がした。自分が高野に恋していることも。もっとも、わざわざ言う必要はなく、いずみはすでに知っているはずだ。

「あの主人公の鏡が高野先輩、そういうことですね。じゃあ、鏡が思いを寄せる美容院の客というのは？」

「吉岡さん」

「なるほどね」いずみはわけ知り顔でうなずいて、

「ありそうなことかもしれませんね。わざわざ会誌の原稿という形にしてるのは、文芸部の誰かに読ませたいってことでしょうからね。じゃあ、鏡が『最後の恋』と言うのはなぜですか？」

「もしかしたら」比呂は思いきって口にする。「高野さんの病気が、わたしたちが思ってるのより悪いんじゃないかな」

今日ずっと考えていたこと、朝ベッドの中で目をさました時、いきなり頭の中に降ってきた考えだった。

「つまり、高野先輩が、もう余命いくばくもないと？」

「そこまで言うつもりはないけど――」

「でも、言ったようなものじゃないですか。そこまでじゃないと、病気と『最後の恋』という言葉がつながらないでしょう」

たしかにそう。比呂が、嫉妬《しっと》すら忘れるほどとらわれていたのはまさにそういう考えだった。けれども、

「ばかばかしい、と思います」

お洒落《しゃれ》なビアバーの照明を背にしたいずみは、そんなふうに一蹴《いっしゅう》する。

「高野先輩の病気って、わたしもくわしくは知らないけど、慢性疾患でしょう。急に悪くなったり、それでどうこうっていう話じゃないでしょう。これまでちょくちょく聞いた感じからすると」

自信をこめて断言され、比呂はほっと安心するような、気が抜けるような感じになる。

「だったら田村さんは、あれがどういうことなんだと思う？　あの『最後の恋』っていうの――」

「さあ」首をかしげ、「むしろ、ラストのその言葉以前に、誰があの原稿を書いたかっていうのが問題ですよね」

「高野さんじゃないって？」

「だいち、先輩は、どうして高野先輩だと思ったんですか」

問い返され、比呂は説明する。そもそも文芸部員の誰かとしか思えない上、ロッカーの鍵《かぎ》という条件から三、四年生にしぼられること。

「具体的にいうと、川辺くんか吉岡さん、それに柳井さん、高野さん。その四人しかいないわけじゃない。鍵を持っているのは」

「それは、その通りですね」

「その中であの原稿の雰囲気、鏡が『影の中にいる』って言うような、ちょっとさびしそうな雰囲気があるのは高野さんじゃない」

いずみは軽く肩をすくめただけで何も言わなかった。

「それに、川辺くんにはアリバイがあるのよ。変な言い方だけど。あのころ家族で旅行に行ってたんだって」

「はあ」

「土曜の朝出発して、月曜にわたしたちがあの原稿を見つけた時は、帰りの新幹線の中だったって。だとしたら川辺くんじゃないことになる。原稿がロッカーに入れられたのは、土曜の夕方よりあとのことだもの」

土曜に比呂が見た時には、そんなものはなかった。そして月曜の午後に扉を開けた時にはすでに入っていたのだ。

「川辺先輩が嘘《うそ》をついてないとしたら、の話ですね」いずみは小さくあくびをした。

「当事者の主張するアリバイなんて、裏づけがないかぎり、うのみにはできません」

「まあ、それはそう——」

「だいいち」いずみは比呂をさえぎってつづける。「犯人はすでに嘘をついているんです。容疑者が全員、『そんな原稿なんて知らない』と言ってるんでしょう」

たしかに、その通りだ。

「といって、警察でもないんだから裏づけ捜査をするわけにもいかないし、本当のところはわかりようがないんじゃないですか」

それもその通りなのだろう。けれども、

「田村さん、何か思いつくことはない？」比呂はすがるような声を出していた。「裏づけなんかなくていい、田村さんの印象だけでいいから」

ひょっとしたら高野さんではないのかもしれない。さっきからのやりとりで、比呂はそう思いはじめていた。

そしてそう考えれば、比呂にとっては明るい見通しが開けるのだ。もし作者が高野だとすれば、高野が誰かを恋していることになり、そしてその相手が比呂でないことはまずまちがいない。吉岡翠かどうかはさておいて。

けれども作者がほかの誰かなら、高野は現在特に恋などしていない——そういう可能性が出てくるのだ。だから誰かを名指ししてほしかった。自分よりずっと論理的な田村いずみに。高野ではない別の誰かを。

「思いつきで理屈を並べるだけなら、いくらでもできますけど」

「やってみて」

「たとえば、あの話って美容院が舞台ですよね。それも」

いずみは名前を挙げる。大学からそう遠くない、桜並木の大通りに面した店で、あの原稿と同様ビルの二階にある。よく雑誌などにも出ている有名なチェーンの支店だ。

「たしかに、あそこがモデルなのかなってことはわたしも思った」

「だとしたら」いずみはうなずいて、「作者はあの店にいつも行ってる人——っていう可能性を思いつきますよね。もちろん、必ずそうとはかぎりませんけど」

「ああ、そうか」

「あそこは有名だし、値段も高いでしょう？　もっと安い美容院が何軒もあるんだから、わざわざ行こうっていうのはよっぽどお洒落な人ですよね」

実は比呂も行ったことがある。ただしたった一度だけ。美容師の腕はたしかという印象だが、やはり出費が大きい。

「うちのサークルでいうと、川辺先輩か、吉岡先輩ですかね」

「わたしも一回だけ行ったことがあるけど――」

「あ、それは失礼しました」

「いえ、そうじゃなくて。たしかその時には女のお客さんしかいなかったな、と思って」

「ああなるほど、ちょっと男には入りづらい雰囲気かもしれませんね。だったら、条件に合うのは吉岡先輩かな」

翠が？　あの原稿の作者？　影どころかいつも光の中にいる、自分自身が光を放射しているような彼女が。

「とはいっても」あっけにとられている比呂に向かい、いずみは涼しい顔で、「別にお店の常連でなくたって、あの程度の描写はできますよね。あそこの窓から並木がどんなふうに見えるかくらい、建物を見上げただけでも見当がつくし」

「そうよね。それに――」

「それに」いずみはまた比呂をさえぎり、

「お客さんがほとんど女性だとすると、原稿に出てくる『その人』というのも女性の可能性が高いですね。なめらかな肌とか何とか書いてありませんでしたっけ」

「書いてあった。たしかに」

というより、最初に読んだ時から、鏡が思いを寄せる相手は女性だと決めつけていた。だが考えてみれば、はっきりそうとは書いてないのだ。

「だったら書いたのは男性――と思ってしまうけど、決めつけるのはちょっと安易かもしれませんね。女性が女性に思いを寄せることだってあるみたいだし。

それに主人公が鏡だし。人間である作者自身を鏡として描いてるスタイルからすると、美容院の客というのも、現実の作者の恋の対象は男なのを、小説内では女性にずらしてるのかもしれませんよね」

つまり、書き手は女かもしれない。柳井志乃、または吉岡翠かもしれない。柳井はそのきまじめさ、吉岡翠は美しさから、あの原稿のいくぶん暗くひそやかな雰囲気には似つかわしくない気がするけれど。

「結局」比呂は混乱して、「田村さんは誰があの原稿を書いたと思うわけ?」

「それはわかりません」いずみはしゃあしゃあと言ってのける。「鈴木先輩が『思いつくことはないか』って言うから、思いつきをいろいろしゃべっただけです」

あいにく比呂が求めていたのはそんなことではない。たぶん無意識に不満顔をしていたところへ、

「要するに先輩は、高野先輩じゃないって言ってほしいだけなんですよね」いずみがずばりと指摘する。

「だったら、言ってあげてもいいですよ。ただし根拠なんてないけど。あとそれから──仮の話、もし高野先輩が書いたんだとしても、好きな相手が吉岡先輩とはかぎりませんよね。いくらあれだけの美人でも、まわりの男がみんなその人を好きになるわけじゃありません」

その通りだ、と比呂は信じたい。もしそうならどんなにいいか。

「その証拠に、川辺先輩なんか、相沢とつきあっていますしね」

いずみはいつも、上級生を一律に「先輩」と呼び、下級生は男女にかかわらず呼び捨てにする。

「えっ、川辺くんと相沢さんが?」

「なんだ、知らなかったんですか。まったく鈴木先輩は」

「鈍いのかな、わたし」

「そうかもしれませんね」いずみは失礼なコメントをしたあと、

「でもね、先輩。さっきの原稿の話ですけど、内容から誰が書いたか推理するなんて無理ですよ」子供に言い聞かせるように言う。

「誰かが名乗り出ればわかるし、そうじゃなければそのまま。そういうことになるんじゃないですか。ほかのサークルに聞き込みをしたって無駄でしょう。誰かがロッカーを開けるのを見なかったか、なんて」

各部室にはドアがないから、誰かが廊下を通りかかれば、中のようすが目に入る可能性もある。とはいえ、

「目撃者なんてまずいないでしょう。あそこはゴーストタウンみたいにひと気がないから」

たしかにその通りだ。比呂は残り少なくなっていたグラスを空にする。

「それより」といずみ、「誰も名乗り出なかったら、先輩はどうするつもりなんですか?」

「どうするって、何を?」

「あの原稿を。編集長として」

「ああ、そのこと。だったら載せる」

即答したのはビールの酔いで気が大きくなっていたせいだろうか。

「えっ？　作者不明のまま？」

「しかたがないよね。そうするしか」

「でも、タイトルは？　そっちは何かないとまずいですよ」

「『わたしは鏡』でいいと思う」

「あの書き出しからとるんですね」いずみはうなずき、「じゃあそれはいいとして、参加費は？」

同人誌だから印刷にかかる費用をみんなで負担する。原稿を寄せた人間が、ページ数に応じた参加費を払うことになっていた。

「わたしが出す」

「本当に？　そこまでするんですか？」

「だって」比呂はうなずき、「わたし、あの話が好きだもの」

「それは――高野先輩が書いたと思うから――」

「そういうことじゃなくて」

それは本心だった。あの原稿の突飛さやイメージが好きだったし、人を思う――ふりむいてはくれない誰かを思う切実さがひとごとと思えなかったからだ。

「誰が書いたとしても。一読者――じゃない、編集長として」

「先輩、かっこいいですよ」

いずみが言い、比呂は少々照れて、別の方面に話題を変えた。

それにしても。それから同じ飲み物をもう一杯ずつ飲んだあいだに、比呂はグラスの中で浮かんでは消える泡を見ながら、心地よく酔った頭の隅で何度も考えた。田村いずみはいったいどういうつもりでわたしを誘ったのか。この、年下のくせに妙に落ちついて、飄々《ひょうひょう》とした態度で人をからかう二年生は。それもアルコールの出る店に。自分は未成年で飲まないくせに。

けれども、わからなかった。二人いっしょにすっかり暗くなった通りに出て、駅の通路で別れた時にも。

「それじゃ、また」いずみが快活に言う。「月曜にはわたしも部室に行きますから。何か手伝うことがあるかもしれないし」

「えっ？」

「いやだな。締切りの日でしょう、編集長」

いずみは手を振り、ジーンズをはいたすんなりした脚で、自分のホームにつづく階段を上がっていった。

原稿の締切りは月曜日、五時半までに部室に提出、と部員たちには宣言してあった。四限が終わったあと、比呂はずっと部室で待っていた。「手伝いに行く」と言っていたいずみは現れず、ほとんどひとりきりだった。

高野が来たのは五時少し前だ。ドアのない入口に細長い影がさした時、心臓がぎゅっと握りしめられたように冷たくなり、ついで熱くなった。

「ご苦労さま」ベンチにすわる比呂に向かって、少しさびしそうないつもの笑顔を見せ、「これ、ぼくの原稿。四〇〇字換算で四十五枚」

「ありがとうございます」

「今回はちょっと不調かもしれない。何かあったら、編集長として遠慮なく言ってね」

「いえ、そんな」

「ほかのみんなはどんな感じ？」

「柳井さんは午前中のうちにロッカーに入れておいてくれて、携帯にメールもくれました。あとはさっき森くんが来て、徹夜明けとかでげっそりした顔で、九十枚の原稿を渡してくれました。予定より増えたみたいで」

「そりゃすごい。ところで、例の作者不明っていうやつは？　まだ誰だかわからないの？」

「わかりません」

「こんな小さなサークルで覆面作家を気取ってもしょうがないのになあ。じゃ、ぼくのを入れて小説がとりあえず四本か。あと田村さんの翻訳も入ってるんでしょう」

「ええ。彼女は優秀ですから」

比呂がそう言うと、高野は何かを思い出したように眉をひそめ、

「田村さんといえば、こないだ大学病院で見かけたよ」

「えっ？」

意外な気がした。いずみと大学病院というのが結びつかない。ちょっとした風邪などならそんなところへ行かないだろう。

「どこか悪いんでしょうか？」

「いや、それが内科じゃなくて——」

そう言いかけたところで言葉を切り、

「ごめん、言わなければよかったな。忘れてください。それじゃ編集作業がんばってね」

封筒を比呂に渡し、そそくさという感じで帰っていってしまった。

比呂はうしろ姿を見送りながら、結局高野さんではないのだろうか——そう考えていた。例の件に触れたあの口調からすると。

噂《うわさ》をすれば影、という言葉通り、田村いずみが現れたのはそれから間もなくのことだ。先週いっしょに行ったビアバーの壁のような煉瓦色《れんがいろ》のセーターを着ている。

「あっ、どうも。もっと早く来るつもりだったんですけど。どうですか、集まりぐあいは」

比呂はさっき高野に説明したのと同じようなことを言う。

「森は九十枚か、すごいですね。あと残るは吉岡先輩と川辺先輩、それに相沢ですか。だったら、今日はもう誰も来ませんね」

「相沢さんはわからないじゃない」と比呂。「あとの二人は締切り破りの常習犯だとしても、彼女は今回がはじめてなんだから」

「川辺先輩とつきあってるって言ったじゃないですか。今日出すはずがないですよ」いずみが断言する。「とりあえず集まった分で何かすることがあれば手伝うし、じゃなければいっしょに帰りません？」

口調がふだんと微妙にちがう。変にはしゃいでいるような、そのいっぽうで何かを押し殺しているような。そんないずみに、

「さっき、高野さんが言ってた」比呂はつい口にしていた。「大学病院で田村さんを見かけた、って」

「そうなんですか?」いずみは眉《まゆ》をあげ、「病院のどこでかは言ってました?」

比呂がかぶりを振ると、いずみはあからさまに舌打ちして、

「中途半端《はんぱ》なんだから」吐き捨てるように言った。高野のことだ。「黙ってるか、どうせなら全部言えばいいのに。精神科の診察室から出てくるところを見たって」

「精神科?」

比呂は自分にしか聞こえない声でつぶやく。その言葉もまた、いずみと結びつかないものだった。

「精神科に行かなくちゃいけないんですよ。精神にはどこも問題はないのに。まちがっているのは身体《からだ》のほうなのに」

いずみは何を言っているのだろう。

「自分ではずっと前から、子供のころからわかってることを、お医者さんに証明してもらわなくちゃいけないんです。ここにいるのは」自分の胸をこぶしで叩《たた》き、「女なんかじゃなく、男なんだって」

比呂は口がきけなかった。テレビのニュースで聞いたことのある言葉、「そういう

人がいるんだ」と驚き、同情もしたけれど実感をともなわなかった「性同一性障害」という言葉が、ゆっくりと頭に浮かびあがってきた。

けれども、聞きおぼえたそんな言葉と自分の知人、目の前にいる田村いずみを結びつけるのにはどうしようもない違和感がある。

「精神科の医者に診断してもらい、ほかにいくつかの条件をクリアできれば、本当の自分になれる。身体も、それから今では戸籍も、ちゃんとしてもらうことができるんです。

ただ、そういうことは全部二十歳になってから。法律でそうなっているんです。アルコールを飲むことのほかにも、二十歳まで認められないことがあるんですよ」

「じゃあ、二十歳になったら――」

比呂が頼りない声で言い、いずみがしっかりした声であとをひきとる。

「万事うまくいけば、本当の身体を手に入れて、戸籍の性別も直してもらう。名前も変える。いずみなんていうのじゃなく、男らしい名前にするんです」

いずみは――田村は、それまで立っていた戸口から一歩踏み出し、比呂のほうへ近づいてきた。

「大学もやめる。編入に必要な単位を取ったら別のところに移ります。最初から男として、友達も全部新しく作ってやり直すんです。でないと無理ですから」

今、比呂にはわかった。女として小柄なほうではない田村のことを、自分が「小柄で華奢《きゃしゃ》」と思っていたのはなぜなのか。田村が後輩を呼び捨てにし、「森くん」「相沢さん」というありがちな呼称を使わないのはなぜか。

どうして、未成年のくせに、飲めもしないビールの店に自分を誘ったのか。そして、「あの原稿」比呂は口にしていた。「あなたがあれを書いたの?」

「やっとわかってくれましたか」

「だけど——あなたは鍵《かぎ》を持っていないし、ロッカーには——」

「まだそんなことを言ってるんですか」田村は笑って、「あの時、先輩が鍵をさしこんで回したあと、扉を開けるより前にひと騒動あったでしょう」

そうだ、比呂の携帯が鳴ったのだ。田村がしきりとのぞきこもうとし、比呂は対抗上背中を向けた——

「先輩がうしろを向いているすきに、そっと入れておいたんです。こんな単純な手にひっかかるなんて、本当に鈴木先輩はぼんやりですよね」

もちろん携帯が鳴ったことも偶然ではなく、田村がかけたのだろう。ポケットか鞄《かばん》の中にしのばせた自分の携帯から。

「あの原稿の『鏡』というのはぼくのことなんですよ」

田村が比呂のすわっているほうへ進み出てくる。比呂は思わず立ち上がり、背を向けて逃げようとした。

田村が追いついて比呂の身体に手を回し、うしろから抱きよせた。比呂のみぞおちに田村の腕が巻かれ、背中から腰に、田村の身体がぴったりと密着した。ありえないほどに。なぜなら二人の身長はほぼ同じくらいだったし、それに田村の煉瓦色のセーターの下には、多分サポーターか何かで押さえていたのだろう、女ならあるはずの胸のふくらみがなかった。そしてジーンズに包まれた下腹部に、男ならあるはずのふくらみもなかった。

「好きになるのは女の人で、自分の身体はその人と同じ形をしている。心はそうじゃないのに。だから好きな人を正面から堂々と見つめることができない、あの鏡みたいに、うしろからのぞきこむことしかできないんです」

田村の息がうなじにかかり、比呂は動くことができなかった。

「鈴木先輩のことが好きでした。今のぼく、もうすぐ捨てる田村いずみという名前を持つ『わたし』の、これが最後の恋です。

あの小説は没にしてください。鈴木先輩に読んでもらいたくて書いたんだから、もう目的は果たしたわけです」

「でも――」

「先輩があの話を好きだと言ってくれて嬉《うれ》しかった。文芸部もこれでやめます。大学にはもう少し籍をおくけど、たぶんお会いすることもないでしょう。最後に、ひとつだけお願いがあります」

「何？」

かすれた声で、比呂はようやくそれだけ言った。

「目をつぶって、十数えてください」

比呂はそうした。ひとつ深呼吸をして、心の中でゆっくり数えはじめた。三まで数えた時、田村の腕がほどけた。五で背中に風を感じた。ぴったりくっついていた身体が離れ、田村がうしろに下がる気配が伝わってきた。

そのあと、田村が前にまわってくることをなかば予想していたのだ。目をつぶって立つ比呂の肩に、田村の両手がそっと置かれることを。

それが起こらないまま、比呂は数字を十まで数え、十五まで待って目を開けた。

そこには誰もいなかった。目にうつるのは暗い窓だけ、感じられるのはもはやはっきりと肌寒さをたたえた隙間風だけだった。

比呂はたったひとり部室に立ったまま、涙が目の縁からこぼれるのを感じ、少しのあいだ頰をつたい落ちるにまかせていた。

けれども田村のためではなく、自分のための涙なのかもしれない。そう思いつくとハンカチを取り出して両目をぬぐい、そして願った。田村いずみではない別の誰かの、最初の恋が、きっと幸せなものであるようにと。

キープ

乃南アサ

乃南アサ（のなみ・あさ）
一九六〇年、東京生まれ。早稲田大学中退後、広告代理店勤務などを経て、作家活動に入る。一九八八年、『幸福な朝食』が第1回日本推理サスペンス大賞優秀作になる。一九九六年、『凍える牙』で第115回直木賞を受賞。以後、女刑事・音道貴子シリーズは人気作に。他の著書に、『6月19日の花嫁』『5年目の魔女』『パラダイス・サーティー』『鎖』『花散る頃の殺人』『ボクの町』『未練』『駆けこみ交番』など多数。

1

後悔してる。

あのとき、誓ったことを。

人を好きになるのは、人生に一度きりで構わないと。

これが最初で最後だと。

そんなことを誓ってしまったことを、心の底から悔いている。いくら半分子どもだったとはいえ。

初恋というわけではなかった。だが、あそこまで思い詰め、本気になったのは、生まれて初めてだった。誰かを好きになるということが、こんなにも不幸せで苦痛を伴うものだとは、それまでは思いもしないことだった。

寝ても覚めても苦しくて、切なくて、他のことは何も考えられず、小さなことにも一喜一憂して、心はいつも嵐《あらし》の中にいるようだった。用もないのに夜更《ふ》かしをしては、深夜ラジオから安っぽい歌が流れてきただけで、わけもなく涙を流したり、突然、詩人のような気分になって、真新しいノートのページに詩とも散文とも、彼への手紙とも思えないような言葉を書き連ねることもあった。

迷いに迷った挙げ句、やっとの思いで親の目を盗んで彼に電話をして、虚《むな》しく鳴り続けるコール音を聞いているだけで、もう死んでしまいたいくらいの絶望を味わった。「ただ留守だと思っただけで、動揺して、落ち込んで。避けられてるんじゃないかと思ったり、もう、今にも嫌われて、フラれるんじゃないかと思ったり。どんな真夜中でも、その人のアパートまで飛んでいきたいくらいだった。あの頃は携帯電話どころか、留守番電話だって、どの家にもついてたわけじゃなかったし。特に彼は、貧乏大学生だったから」

そんな彼と、せっかく一緒にいても、今度は自分の嫌なところばかりが目について、どんどん自分が嫌いになった。小さなことに突っかかったり、情緒不安定になったりする自分が分からなかった。たとえ嘘《うそ》をついてでも、大芝居を打ってでも、何としてでも振り向いて欲しくて、でも結局は何が出来るわけでもなく、とにかく一人でじたばたしていた。

「あの年頃の恋愛なんて、そんなもんでしょう、大体、誰でも」

「今なら、それが分かるんですけど、あの頃は——誰にも相談出来なかったし、何しろ、周りなんて、何ひとつ見えなくなってるんですから」

　時には目の前の風景一つ一つが、すべて映画のシーンのように美しく見えたかと思えば、また時には、冷たく凍りついた沼に引きずり込まれるような不安を感じた。彼といたいと望むことで、もっとも学んだものといえば、それは孤独だった。

　そんな独り相撲を繰り返している間に、結局、くたくたになってしまった。ちっとも幸せなんかじゃなかった。それなのに、どうしても諦《あきら》められなかった。そして、誓った。

「もう二度と、誰かを好きになったりしないって」

　カウンターに置かれたグラスの、表面の細かな汗を指でなぞりながら、私はゆっくり呟《つぶや》いた。

「だから神様、私の願いをかなえてください。この人生を、彼と——心から愛する人と歩むためだけのものにしてくださいって——人生の意味なんて、知りもしなかったくせにね」

たった十五歳の、今にして思えば実に幼く、平凡で、ちっぽけな恋だった。そして、誓いをたてた何カ月か後には、いとも簡単に彼を失っていた。泣いて、憎んで、恨んで、それでも諦めきれず、ただ逢《あ》いたくて、もがけばもがくほど惨《みじ》めになって——そんなことを繰り返している間に、高校生活の大半が過ぎ去ってしまった。

ほんとう。本当に後悔している。

あれから二十年。私は、結局は他の誰のことも好きにならないままで来てしまったのだから。

「本当に？　だけど、まるっきり誰ともつき合わないで、今日まできたっていうわけじゃあ、ないでしょう」

もちろんだ。

最初は、十五の私の心を置き去りにして立ち去った、彼への腹いせのような気持ちだった。彼を忘れて、立ち直るためのきっかけ作りだったこともある。

「ずっと独りで居続けるなんて、あんまり淋《さび》しいもの」

それに、こう見えても私に好意を寄せてくれた男だって、まるでいなかったというわけではない。

「そりゃ、当然だと思いますよ」

でも私は、もう二度と、十五のときのような苦しみを味わいたくはなかった。懲《こ》り懲《ご》りだった。だから、自分の気持ちはさておき、とりあえず私を望んでくれる相手の中から、少なくとも嫌な感じがせず、あとは出来るだけ条件の揃《そろ》っている人を選ぶことにした。外見。学歴。家庭環境。

「強気になるんですよね。私の方は、つき合ってあげてるんだっていう思いがあるから。わがままだし、気まぐれだし、相手のことなんか、まるで思いやらないし」

「いいじゃないですか、そういうのも。お姫様みたいで」

「でもね、そんなことしてると、いくら最初のうちは一生懸命な相手だって、さすがにそのうち、気がついてきますから」

愛がない。想われている実感がない。自分の方を向いていない。おまえの心が分からない。もうこれ以上、振り回されたくない。疲れた——似たような台詞《せりふ》を、何度聞かされたか分からない。私はいつも何回かは泣いて見せ、そして最後には、そっぽを向いた。

嫌なら、やめれば。終わりにすれば。

それで、平気だった。そのうちまた、誰かが私を求めるだろう。それを待つ。求められれば、応じる気持ちは持っていた。独りぼっちにさえならなければ、それで良いと思っていた。それに、ひょっとすると今度こそ、運命的な出会いが待っているかも知れないと、密《ひそ》かに期待もしていた。

「運命的な、ね。それで、いいご主人と出会って」

「だったら、よかったんですけど——それもだって向こうから結婚したいって言われたからだし」

「じゃあ、嫌々？」

「もちろん、嫌いじゃないからこそ、結婚する気に、なったんです」

今夜は馬鹿《ばか》に暇な晩で、さっき、アルバイトの女の子も帰っていった。カウンターの向こうでは、暇なときだけ出してくる、折りたたみ式の小さな椅子《いす》に腰掛けて、髪にも髭《ひげ》にも、白いものが目立ち始めているマスターが、ゆっくり煙草《たばこ》を吸いながら、「ふうん」というように静かに頷《うなず》いて、こちらを見ている。

「それに、一緒にいるうちに少しずつでも、きっと本当に好きになっていくんじゃないかって、そうも思ったし。恋愛感情というのとは違っても、もっとしっとりした、落ち着いた感情が」

実際、寝食を共にしていれば、愛は育たなくとも情は生まれる。その部分でつながりあえれば、それはそれで大丈夫なものではないかと、私はそんな風に考えていた。見合い結婚と同じようなものだと。

「情は、ね。でも、それだけじゃあ、駄目だったんだ。結局」

返事の代わりに、つい、ため息が出た。

私の結婚生活は五年で破綻《はたん》した。当初から、夫は子どもを望んでいたが、私がどうしても、それを拒否し続けたからだ。まだ早い、もう少し二人きりの生活を楽しみたい、仕事が忙しいなどなど、色々と言い訳をしては、断固として避妊を求め、時として彼を拒絶した。どうしてなんだ、と夫は声を荒らげた。その怒鳴り声を聞きながら、ある夜、私は自分自身の心の叫びを聞いた。

――だって、愛してないんだもの。

あのときほどはっきりと、それを感じたことはなかった。いい人だと思っている。夫として大切にしようとも考えていた。だが、彼の血を受け継ぐ子どもを産みたいとは、思ってはいなかった。

友人の中には、相手に対する愛情の有無や、結婚するしないはともかくとして、とにかく子どもだけは産みたいという者も少なくない。生身の男などいらないから、とりあえず条件の整っている遺伝子を体外受精で我が子に注ぎ込むのが、厄介がなくてもっとも効率的だと考えている友人もいる。

だが私は、愛してもいない男の子どもを産むなど、到底考えられることではなかった。その子が、もしも父親にそっくりだったら、私は子どもさえ愛せなくなるに違いない。それどころか、産んだことを悔やみ、子どもを憎み、疎《うと》んじて、その子の人生を台無しにする可能性だってあると思った。そんなことを思いながら、子どもなど産めるはずがない。

——わずかな可能性でもあるんなら、俺は待とうと思ってた。だけど、君はいつまでたったって、とうとう俺の方なんか、見もしなかった。

別れる間際《ぎわ》、疲れ果てた表情の夫は、うつろな目をして、そう呟《つぶや》いた。私は心の底から、可哀想《かわいそう》なことをしたと思った。申し訳なかった。この人を愛せれば良かったのにと、やるせない涙を流した。

——結局、君は、誰を見てたんだ。俺といながら、誰を探してたんだよ。

そして、絶望的なひと言を聞かされた。その瞬間まで、私自身は忘れていた。十五の時の誓いなど、とっくに記憶の彼方《かなた》に押しやっていたのだ。だが、夫に、ぞっとするほど冷たい、恨めしげな目を向けられたときに、何もかもを思い出した。

私は、気づいた。

誓いはまだ守られていたのだと。

だから私には、夫だけでなく、それまでにつき合った他の誰に対しても、心を開くことが出来なかったのだ。愛し方が分からないまま、結果として、相手を傷つけて、今日まで来てしまった。いや、愛する以前に、どうしたら恋することが出来るのかさえ、もう分からなくなっていた。もはや、この心が揺れることはなく、孤独や絶望を感じることもない代わり、震えるようなときめきも、涙ぐみそうな愛《いと》おしさも、何一つとして感じることは出来なくなっていた。

あんな誓いを立てたから。

そうに違いない。

私は、たった十五で自分の内にあった恋する力を、すべて燃やし尽くしたのだ。神様は、私の願いの方はまるで聞き入れなかったくせに、誓いだけは守らせた。こんなことなら、最初から、神様なんかに祈ったりするんじゃなかった。私が馬鹿だったのだ。いつもは存在すら信じてもいない相手に。

「じゃあ、その後は、新しい出会いは？」

「――望んでも、出来ないように出来てるんです、きっと」

「そんな。あんまり淋しいじゃない」

「仕方がないのかも。こうなったらさっぱり諦めるしか」

「その若さで？」

「悪あがきするほどの歳《とし》でもないです。それに、これでも、ひと通りの経験はしたつもりですから」

第一、今は仕事も面白い。人間は、恋などしなくたって、いくらでも幸福に生きられる。もしも、どうしても淋しくなって、いざとなったら、遊ぶくらいは出来るとも思っている。もう子どもではないのだ。後腐れなく。割り切って。不倫でも。行きずりでも。さらりとこなす自信がある。

小さくため息をついて、グラスに残っていたビールを飲み干すと、私は席を立った。

離婚して、独りでこの町に越してきてから、生まれて初めて一人で通うことを覚えたバーだった。

2

昔、フランス人には肩こりがいなかったという話を聞いたことがある。ところがある時、外国から来た誰かが、一人のフランス人の肩に触れて、「こってますね」と言ったのだそうだ。それまで気づきもしなかった肩のこりを、そのフランス人は初めて知ることになった。以来、フランスには急速に肩こりの人が増えたという。

人生とは、そういうものだ。知らずに済めば、それで終わる。

では、知ってしまったら？

諦める。

さっさと。

諦めさえついてしまえば、貧しさも、わびしさも、孤独も、肩こりも、何もかも、意外に素直に受け入れて、あとは静かに過ごすことが出来る。期待などしなければ、落胆も絶望もないのだから。

「今夜は遅かったんですね。しばらく見かけなかったし」

カウンターにいるのが私だけになったところで、マスターはまた、いつもの小さな腰掛けを出してきた。

「ここのところ結構、忙しくて」

結婚していた頃には映画館からも足が遠のいていたが、最近は週に一、二本は映画を観《み》ている。疎遠《そえん》になりがちだった友人とのつきあいも復活した。二カ月前からは熱帯魚を飼い始めたし、もう少し暖かくなったら、ベランダでささやかながらハーブでも育てようかと思っている。前々から誘われていたゴルフの練習も始めたし、それに伴って、ペーパードライバーも返上しようかと考えているところだ。

そうでなくても仕事は忙しくなる一方なのだ。今度の異動で、私はこれまでよりほんの少しだけ、責任のあるポジションを与えられることになりそうだった。会社としても、私が仕事に本腰を入れ始めたことを、ようやく評価する気になったらしい。チーム編成も少し変わるという話だし、今は二人きりの部下も、少しは増えるだろう。

「部下がいるんだ。へえ、そんな風に見えないのに」

「やっぱり、貫禄《かんろく》がないからですかね。ずっとお茶汲《く》みとコピーばかりやってる感じに見えます？」

「まさか。そんな意味じゃあ、ないですよ。ただ、お若いから」

「ありがとう」

今にして思えば、結婚と同時に退職しなかったのは、実に賢明な選択だった。当初は「子どもが出来るまで」という約束で、夫も、周囲も納得させていたし、自分自身もそのつもりだった。それほど深く考えていたわけではなかったが、これも今にして思えば「そんな日は来ない」と、やはり、心のどこかで確信していたのだと思う。

とにかく、今の私は充実している。故郷の両親と、離れたところで暮らす兄弟のこと以外に、気にかけたり、思い悩む人のいない生活の穏やかさを、心の底から味わっている。

心は、空っぽだ。

がらん、としている。

けれど、不快ではなかった。淋しくもない。そんなことは、かつてないことだった。

もしかすると空っぽなのは、昔から変わっていないのかも知れない。ただ、以前はそれが耐えられなかった。だから、その空虚な広がりを埋めるために、まるで呪文《じゅもん》のように繰り返し自分に言い聞かせていた言葉がある。何年も。

私にはつき合ってる人がいる。

私のことを思っている人がいる。

私には大切にしたい人がいる。

私のことを必要とする人がいる。

この二十年間、私はほとんど取り憑《つ》かれたように、同じ台詞を呟き続けてきた。

相手がその都度代わろうと。

私自身が、高校生から大学生になり、社会人になろうと。

そうすることで安心が得られた。自分も人並みだと思うことが出来た。そうして、いつか本当に、その相手を好きになれるのではないかと、密かに期待し続けていた。何とかして好きになりたい、苦しまないまま、ドラマのように楽しい恋愛をしたいと、本気で願っていた。必死だった。あのときはあの時で、やはり私は諦《あきら》めようとしていたのかも知れない。これで、いいのだと。この相手で。この人生で。

「でも、ふつう女性は、相手に求められて、惚《ほ》れられてこそ幸せになるって、いうんじゃないのかな」

確かに、そういう人もいる。

父方の親戚《しんせき》にも、同じことを言う伯母がいた。アルバイト先の奥さんに言われたこともある。現に私の友人も、今の幸福は、それほど夢中で好きだというわけではない男と一緒になったからこそ手に入れたものだと言っていた。

――一緒になってやったと思うから、自由にしていられるのよ。下手に遠慮しないで。向こうだって、自分の方が熱心に口説いたって分かってるから、いざっていうときには、やっぱり下手に出るしね。これが、もしも好きで好きでたまらない人なんかと一緒になってごらんなさいよ。もう毎日緊張しっぱなしで、相手のご機嫌ばっかりうかがって、くたくたになっちゃうと思うわ。

結婚して以来、二の腕にもウエストにも、すっかり脂肪がついて、妊婦でもないのに妊婦に見えるくらいだと言いながら、彼女はいかにも嬉《うれ》しそうに肩を揺すって笑っていた。

そう。

だから、私だってやってみた。皆の言葉を信じて。あてにして。

「でも、駄目だった？」

「私の場合は、例の誓いのことを忘れてたのが、いけないんでしょうけれど」

誓いか、とマスターは口元を歪《ゆが》めて微《かす》かに笑った。

「こうなってくると、誓いっていうより、呪《のろ》いっていう感じに聞こえますけどね」

本当ねと、つい、笑ってしまった。

考えてみると、私はこの二十年間、いつでも何かしらの呪文を唱えながら生きてきたのかも知れない。

新婚の頃には、名字の変わった自分の名前もまた、毎日、呪文のように繰り返し呟いて過ごしていた。誰にいつ呼ばれても、すぐに反応できるように。妙に照れたりしないように。当時は、そんな言い訳を自分に用意していたはずだ。だがこれも、今なら分かる。ただ単に、ようやく安心出来る立場に立ったことを、熱心に自分に言い聞かせていただけのことだと。

まるでライセンスの取得だった。姓が変わり、左手の薬指に指輪を光らせている自分は、世間の誰の目から見ても、共に生きる相手を持つ、安定した立場の女になった。世間並み。人並み。そのことを、まず自分自身に言い聞かせなければ、いられなかったのだ。

「ねえ、世の中の夫婦で、本当に純粋に恋に落ちて、愛し合って、そうして結ばれてる人たちなんて、どれくらいいるのかしら。おまけに、その愛が、ずっと続いてる夫婦なんて。ねえ、離婚しない夫婦のうちの、何割くらい、いるものですか？」

「もう一杯いきます？　今日は、いい調子ですね」

「それより——バーボンにしようかな。ボトル、入れますから」

「ありがとうございます」

「本当、いるのかしら。十年も、二十年も、お互いの愛を信じ合ってる夫婦なんて」

ここまで帰ってくれば、もう我が家は目と鼻の先だ。たった1DKの愛《いと》しい我が家。熱帯魚だけがゆらゆらと待つ静かな部屋。私の泣き顔を知っている、唯一《ゆいいつ》の空間。ああ、早く帰ってのんびりしたい。そう思いながら、こうして寄り道をしている。

私も、こんな夜を過ごせるようになったのだと、しみじみ思う。一人でバーの扉を押して。気が向けば、他の誰にも話したことのないような話を、名前も知らないマスターに聞かせて。時には見知らぬ客とも、軽口くらいは叩《たた》いて。

「薄くしてくださいね」

「承知しました」

結婚していた頃には、考えられないことだった。いつでも寄り道したかったけれど、しなかった。早く帰りたくはなかったが、いつも真《ま》っ直《す》ぐ、急いで帰った。何もかもが、今と逆。

私は誰も愛していない。

私には思い浮かべる人がいない。

私は誰も好きじゃない。

孤独は悪いものじゃない。こうして静かに年齢を重ねていくのも、それはそれで、いいものではないか。

そう。空っぽも、それなりに心地良い。

それにしても最近の私は少しばかり忙しすぎる。部下が増えることになるだろう。二人から何人に？　四人か、五人か。そう、そういえば、新しい上司も来ることになると聞いた。

「上司が？　そっちの方が影響は大きいんじゃないのかな」

その通り。

使えないヤツが来たのでは、たまらない。願わくは、あまり馬鹿《ばか》でなく、神経質すぎず、だからといって無神経でもなく、偉ぶらず、人に責任を押しつけず、女なら派手すぎず、男なら薄汚くない、そんな人に来て欲しい。これは贅沢《ぜいたく》な望みだろうか。

そんなに？

「点が辛そうだからなあ。上司から見たら、さぞ手強い部下だと思いますね」

マスターの言葉に、つい笑ってしまった。この私が？　まさか。でも、そんなことを言われるようになるなんて。

「いや、そう思いますよ。頼りにもなるけど、手強いって」

このマスターは、脱サラ組なのだそうだ。以前はそれなりに名の通った企業のエリートだった。何を思ったのか、それとも何か失敗でもしたのか、詳しい事情は知らないが、とにかく四十代の半ばで会社を辞めて、何年間か修業した後、このバーを始めたらしいと、他の常連客から聞いたことがある。独身？　知らない。そこまでは聞かなかったし、知る必要もない。

ああ、どんな上司が来るのだろう。出来れば女性は避けて欲しい。

以前はそれほど気にしなかった。だが最近、ふと周囲を見回したときに、気がつくことがある。尊敬できる、または目標と出来る女性の先輩が、ほとんど見あたらない。反面教師ならば、ごまんといる。掃いて捨てるほど。だが、素敵だと思う人は皆無に近い。独身も、家庭持ちも。そんな中の一人に来られたのでは、やりにくくて仕方がない。

だが、そう遠くない将来、私もそう言われるようになってしまうのかも知れないのだ。そうと気づかないうちに、背中に冷ややかな視線を送られて、そして、陰で囁《ささや》かれることになるのだろうか。ああはなりたくないもんだわよね、と。昔はそうでもなかったはずなのに、とでも。年齢を重ねるということは、そんなに難しいことなのだろうか。

「さて、と。そろそろ、レジを締めさせてもらっても、いいですか」

「――時間の、問題なのかなあ」

「そう。もうこんな時間ですからね。帰り道は、大丈夫かな」

あら、本当に。大変、明日も仕事がある。私は、「ごめんなさいね」と、ゆっくり微笑《ほほえ》みながら財布を取り出す。頭が少し重たくなって、視界もふわりと揺らめいた。

そのとき、バーボンなんて、べつに好きっていうわけじゃないんだ、と思った。それほど美味《おい》しいなんて、思ってない。と、いうよりも、味そのものが分からない。

何だか、私って、本当は好きじゃないことばかりやって生きてるみたいだ。いつだって、気持ちと逆のことをしているような気がする。ずっと。懲《こ》りもせず。

3

いつもの席に腰掛けるなり、思わず大きなため息が出た。首をそらし、顎《あご》を上に向けたまま、カウンターの上に放り出したバッグを、どかす気にさえならない。

「お疲れさんな顔ですね」

疲れた。本当に。

と、いうよりも、うんざりだ。

身体《からだ》が疲れているわけではない。ほとほと、嫌になっていた。

右を見ても、左を向いても。

毎日毎日、胃袋の中に不快な詰め物でもされているようだ。何なの、どういうことなの、どうしてなのと、解決の糸口さえ見つからない苛立《いらだ》ちが、来る日も来る日も、私の中でふつふつと発酵を続けている。

一体、誰のせいで、こんなことになったのか、今となってはそれを考える気力さえなくなりそうだった。

上を向いても、下を見ても。

馬鹿ばっかり。

自分勝手で。

無責任で。

使えない。

何も考えてないじゃないの。

どうして私が、こんな目に遭わなければならないのだ。こんな、理不尽な。

ほんの少しだけポジションが高くなることを密《ひそ》かに喜んでいた頃が、今となっては恨めしい。こんなことなら、平社員に毛の生えた程度で結構だった。誰からも大して期待されない代わりに、妙な責任を押しつけられることも、変な人間関係に巻き込まれることもなかった方が、ずっと快適だった。

新しい上司は、私より七歳年上。女性。だが、精神年齢はずっと下だ。幼稚で、すぐに自分の感情をむき出しにする。何かにつけて「どうすんのよ、もう」などといった口調で、険しい顔をこちらに向け、責任を人に押しつけようとする。どうしてあれで課長になれたのか、まるで分からない。

部下の方も、問題だらけだ。増えたは良いが、ろくでもない。一人は留学経験もあり、修士まで取っているというものの、学生時代が長かったせいか、三十過ぎになってもまだ頼りなくて、どこか浮世離れしている。もう一人は「異常性恋愛体質」を自認している。さらに、新婚呆《ぼ》けが一人。少しでも手が空くと、愛妻と携帯メールを交わしている有様だ。

——言っちゃ悪いけど、端から見てても、動物園みたいな感じだよね。じゃなかったら、中学校のお教室みたい。

今日などはついに、隣の課にいる同期の仲間から、そこまで言われた。言われても仕方がないと、私も思った。私語が多い。うるさい。緊張感がない。そこに上司まで加わっている、というよりも、もっとも先頭に立って騒いでいるのが彼女なのだから、どうしようもないのだ。

こんな調子が、いつまで続くんだか。

以前からの部下だって可哀想《かわいそう》とばかり言っていられない。無論、時には私に救いを求めるような視線を投げて寄越し、密かにため息などついていることもあるのだが、大抵の場合は、すっかり雰囲気に呑《の》まれてしまって、今や完璧《かんぺき》に、新しいメンバーのペースに巻き込まれつつあるのが現実だからだ。

だが、それを責めることは、私には出来なかった。何しろ私自身が、すっかり調子を崩している。話し声一つにしても、周り中が大声だと思うから、ついつい、こちらまで甲高くなっている。このまま何年かしたら、きっと喉《のど》にポリープが出来るに違いない。

「新しいボトルを？　ありがとうございます。今回はまたずい分と、早かったんじゃないかな」

早くもなる。ここへ来る回数も、一杯のグラスに注ぐ量も、共に増えている。

ことに鼻につくのが、自称「異常性恋愛体質」の女だ。彼女は私と一歳しか違わない。バツイチも同じ。しかも、子どもがいるという。それなのに、あの必要以上に発散するエネルギーの源が、私にはもう分からない。

どうして視界に入る男のすべてを、恋愛の対象として考えられるのだろうか。年上も年下も、既婚も未婚も関係ない。仕事中もプライベートもお構いなし。どんな場合でも、余計なひと言を付け加えなければ、どうしても気が済まないらしい。

――そのネクタイ、似合ってますね。

――あら、意外に細い指。

――ほうら、顎の下に剃《そ》り残し、見っけ。

そこに、鼻にかかった笑い声が続く。嬌声《きょうせい》といって良いと思う。

ああ。もう！

思い出しただけで苛々してくる。なぜいつも、会話の端々に「きゃあ」とか「へえっ」などという感嘆詞を差し挟むのか。相手が男と見ると、どんな相手でも必ず褒めずにいられないのか。どうして、会話の途中で相手の身体のどこかに触るのだろう。

第一――。

第一、なぜ、一度の失敗で懲りていないのだろうか。

「また何か、面白くないことでも、あったんだ」

「――分かります？」

「もちろん。ため息ばっかり繰り返して、そんなにつまらなそうな顔してたら」

「――分からなくて」

「何が？」

彼女は異動になってきて間もない頃、一度、恋人と別れたはずだった。そう言って、目を泣き腫《は》らして出社してきたことがあった。職場にそういう顔で現れて、臆面《おくめん》もなく「ふられちゃって」と話すだけでも相当に驚きだったが、それから一カ月も経《た》たない間に、もう現在の恋人の話をするようになった。さも嬉しそうに。幸福そうに。

まるで分からなかった。

どうしてああもすぐに新しい恋を見つけられるのだろうか。どうして、あんなにも正直に、マニキュアから口紅の色、髪型まで変えることが出来るのだろう。いい年をして。そのくせ、一方では来る日も来る日も、まるで興味もない無関係な男に対してまで「素敵」「可《か》愛《わい》い」などと繰り返して——なぜ、あんなに幸せそうにしていられるのだろう。

ここに、呪《のろ》われた女がいるというのに。

誓いの言葉に縛られて、あとは諦《あきら》めて生きていくことだけを自分に言い聞かせている私がいるというのに。

分かっている。

本当は、気づいている。

私は、羨《うらや》ましいのだ。

羨ましくて、たまらない。

四十をいくつか過ぎても、自分の感情をコントロールすることさえ出来ずに、時として、まるで女子大生のような膨れっ面《つら》になる上司が。いざとなったら、「だって、うちのパパは」などと言いながら、泣いて帰ることの出来る家庭のあることを強烈にアピールする、あの女が。

一方、子どもまで抱えていながら、次から次へと恋をして、その都度、本気になって、泣いたり笑ったりしている部下が。「いい男を見ると、その日一日がバラ色なんですよね」などと、目をパチパチさせながら笑っている、あっちの女が。

それに比べて。

私に、何がある？

相変わらずの空っぽのまま。

もちろん、不幸だなんて思っているわけではない。けれど——こんな空疎《くうそ》な生活が、これから死ぬまで続くのかと思うと、ため息のひとつもつきたくなる。人生が、やたら長く感じられてならない。

「ごちそうさま——今日は、帰ります」

「こんなときは、寝るに限りますよ」

ここのマスターは客を引き留めない。商売って、そういうものなのだろうか。引き留めてでも、もっと話したいと思うときや、一人くらい残っていて欲しいときはないのだろうか。それとも、引き留めないのは、私だから、だろうか。

夜道を歩きながら、もう辺りから夏の虫が鳴き始めているのに気がついた。

今度の週末は、思い切り泣ける映画を何本か借りてきて、朝から晩まで観《み》ようと思った。泣いて、泣いて、心を潤《うるお》さなければ、どんどん乾いて、いつかひび割れてしまいそうだった。

4

にぎやかに騒いでいたテーブル席の一団が帰っていくと、空調の風の流れが変わったように感じられた。

「忘年会には、まだ早いのにな」

洗い終えたグラスを一つ一つ、クロスで丁寧に拭《ふ》きながら、マスターが困惑気味の笑顔になる。これまでにも、何度か見たことのある表情だった。

「何、してる人たちかな」

「どうだろう。公務員か、学校の先生か」

「ああ、そんな感じ」

繁華街にあるわけでもなく、静かな雰囲気を大切にしたいらしいこの店にとって、今のような、宴会からの流れか何かと見える団体客は、売り上げ的にはありがたくても、決して歓迎すべき相手というわけでもないらしかった。

「しっかし、よくもあんな大声で、人の悪口、言ってるよな」

「言ってましたか」

「もう、さんざん。マスター、聞いてなかった？」

「厨房《ちゅうぼう》にいたときかな」

「違うよ、ずっと。最初から最後まで、その話題で盛り上がってたんだから」

「そうですか」

「分かった。マスターの耳は、そういう醜い話は聞かないように、出来てるんだな」

「いいですねえ、そういう耳」

少し離れた席にいる客とマスターのやりとりを聞くでもなく耳に入れながら、私はぼんやりと宙を見つめていた。

——僕のどこが、そんなに気に入らないんですか。

ひどく硬い表情のまま、真《ま》っ直《す》ぐにこちらを見つめていた。その瞳《ひとみ》が、今も目に焼きついている。重く、ゆっくりと開かれた唇も。その唇の間から、低く、しっかりと響いて聞こえた声も。

どうしてだろう。

何度でも、深呼吸したくなる。

どれほど気分を変えようとしても、ことにあの瞳が思い出されてならない。ほんの一瞬のことだったのに。

動揺した。

柄にもなく。

いや、動揺したのは、あの瞳に、というわけではないかも知れない。それよりも、視線が合った瞬間に、ついうっかり、何を考えるよりも先に、手を伸ばしたくなった。そんな自分自身に動揺していた。

なぜ？

なぜ急に、そんな衝動に駆られてしまったのだろう。あの瞳に、どんな力が宿っていたというのだろうか。

——言ってください。直すべきところは、直します。

向こうが言葉を続けなければ、本当に、彼の肩でも腕でも、いや、頬か髪にでも、触れてしまっていたと思う。それほどの衝動だった。

彼は、あんな瞳の持ち主だっただろうか。まるで、私自身の中に、冷たい水が流れ込んでくるような瞳だった。たった一瞬の間に、私の全身は、冷たい水に洗われて、何もかもが生まれ変わったような感じだった。

何を馬鹿《ばか》な。

馬鹿げている。そんなこと。

頭では、そう思う。

第一、相手を誰だと思っているのだ。他のチームにまで評判が伝わるほど、あんなにも仕事の出来ない、しかも部下ではないか。

高学歴と強力な後ろ盾とやらを背負い、鳴り物入りで入社してきた彼が、当初は営業に配属されたものの、実際の業務となると大した能力を発揮することもなく、周囲を大いに落胆させた挙げ句に、私たちの部署に回されてきたらしいという話を聞いたのは、夏が過ぎた頃だったと思う。

「しかし、すごい言われようだったな。どんなヤツだか知らないけど、さすがに同情したよ、何となく」

「うるさかったでしょう。ご迷惑をおかけしました」

「マスターのせいじゃや、ないじゃない。こういう商売やってたんじゃあ、客は選べないんだから」

私自身、彼には幾度となく苛立《いらだ》たされてきた。何しろ、どんなことをするにも、皆とテンポが合わないのだ。頭が悪いわけではない。平均的能力が低いわけでないことは確かだと思うのに、いつでも心ここにあらずといった感じで、何を考えているのかが、まるで分からない。ピントがずれている。人の話を聞いているのか、いないのかと思う。それくらいに反応が鈍い。そのくせ、よく分からないタイミングで急に熱弁を振るい始める。ムキになる。

要するに、よく分からない。ただ、とりあえずは使えない。

そんなヤツなど、気に入らないに決まっている。

だが、それを態度に出しているつもりはなかった。本人にも、また他の誰にも、口に出して批判めいたことを言ったことはなかったし、極めて淡々と接してきたつもりだ。必要以上に期待さえしなければ、落胆することも、また苛立つこともないのだと、毎日のように自分に言い聞かせていた。

そう。とにかく私は、彼に何一つとして期待していなかった。こうなったからには、ただひたすら、余計な摩擦を起こしたくないという思いだけだった。それに、もしも厄介払いしたいと思うなら、それは課長の仕事だと思っていた。だから、知らん顔を決め込んでいた。それなのに今日、彼は言った。話があると、人を呼び出して。

――もう少し、ちゃんと僕の方を見てくれても、いいんじゃないですか。

用があるときでさえ、何か話しているときでさえ、私はきちんと自分を見ていない

と、彼は言った。

だって。

内心たじろぎそうになりながら、あの時、私は頭では懸命に言い訳の言葉を探していた。本当なら、あなたに用なんて、言いつけたくないからよ。あなた、自分の無能さが分かってないの？　苛々させられたくないの。だからじゃないの。

だが、口にしそうになるその一方で、私は自分の心の声を聞いた。

恥ずかしいから。

まさか、そんな言葉が浮かんでくると思わなかった。私は余計に混乱し、動揺した。顔が熱くなるのを感じた。どうやって、その場を切り抜けようかと必死だった。

――直すべきところは直します。だけど、僕の話も聞いてくれませんか。

彼は、思い詰めた表情をしていた。

――確かに呑《の》み込みの悪いところは、認めます。だけど、誤解されてる部分もあると思うんです。とにかく僕、係長には誤解されたくないんです。

私は、自分の動揺を気取られまいとするので必死だった。

私にはって？　さらりと聞いてしまえば良いことが、どうしても口に出来なかった。

ここは、とにかく時間を稼ぐ必要があると思った。だから、彼が希望するなら、時間を作ろうと約束をした。改めて、ゆっくり話を聞きましょうと。そう、来週にでも。そう提案するだけでも、何となく息苦しくて、動悸《どうき》がしていた。

するると、彼が笑った。いかにも安心したように。ものすごく大きなプレゼントでももらった子どものように。

――やった！　お願いします。必ず。

私は、もう泣き出しそうになっていた。何だか知らないが、恥ずかしくてならなかった。今、きっと、ひどくみっともない顔をしているだろうと思うと、その場から走って立ち去りたいくらいだった。

「ご迷惑、おかけしましたね。大丈夫？」

いつの間にか、マスターが私の前に立っていた。私は夢から覚めたような気分で、ゆっくり微笑《ほほえ》みながら、空になりかけていた水割りのグラスを揺らした。

「今日は？」

「――え？」

「何か、いいことでもありましたか」

「何も。いつもと同じです」

「あれ、そうかな。じゃあ、熱でも？」

「熱？」

顔を上げると、マスターはいつもと同じように「お作りしましょう」と私の手からグラスを受け取る。

「そうじゃないなら、いいんです。ただ、何となく、いつもと違って見えるから」

私は何も答えなかった。今、何か言ってしまったら、すべてが壊れてしまいそうな気がした。

頭と心が、ばらばらの方向へ向かおうとしている。私の頭は、この心の波立ちを否定しようと必死だ。立場を考えろ。そんなはずがない。相手を誰だと思っている。一瞬の気の迷いに決まっている。よりによって、あんな男でなくても――次から次へと、何とかして私の気持ちを冷めさせようと、懸命に回転している。いじらしいくらいに。

それなのに、私の魂は、まるで長い眠りから覚めたように、この身体《からだ》の中で弾んでいる。アルコールのためばかりでなく、血液の流れさえ速くなったような感じだった。視界に入る光の量が、わずかに増えたように思う。そして、何度でも繰り返し、あの瞳を思っている。

あんなにも真っ直ぐな、まるで子どものような瞳と、これまでに私は、向き合ったことがあっただろうか。あんなに無邪気な笑顔を向けられたことが、かつてあっただろうか。

「この冬は、何か予定はあるんですか」

新しい水割りを差し出しながら、マスターが言った。私は相変わらず曖昧《あいまい》な表情のまま、ゆっくり首を振った。

「いや、何かありそうだな」

「まさか。ないです、何も」

「そうかな?」

もう一度、マスターを見る。マスターは、いつもの表情のままで、ゆっくり煙草《たばこ》を吸っていた。

「こう見えてもね、意外に見抜くんですよ」

「——何を?」

「こういう商売をやってるとね、分かるようになってくる」

「ですから、何を?」

煙草の煙を吐き出して、カウンターの縁を拭く真似《まね》をしながら、マスターは「もしかすると」と呟《つぶや》いた。

「呪《のろ》いが、とけたんじゃないかな、とか」

余計に、泣きたいような気分だった。

後悔していた。

十五の時に、あんな馬鹿な誓いを立てたことを。心の底から悔やんでいた。

それなのに今、私は早くも、新たな誓いを立てようとしていた。

神様。

あれから二十一年も、たっぷり辛抱して、さんざん遠回りしてきたんです。それはすべて、彼と出会うためだったのだと思わせてはくれませんか。視線一つで、そんなことを思う私は、馬鹿でしょうか。いったい、私の中で何が起こったっていうんでしょう。ただ単に、出来の悪い部下から相談を持ちかけられただけだというのに。

でも、神様。

もしも本当に、本当に、そう思わせてくれるなら、まだ、きちんと心を通わせ合ってもいない彼こそが、私が本当に出会うべき相手だったのだとしたら、今度こそ、最後にしますから。

グラスの中で、溶け出す氷に少しずつ薄まっていく琥珀色《こはくいろ》の液体を眺めながら、私はまた、繰り返していた。お願い、神様、と。もしも今度こそ、願いを聞き入れてくれるのなら――。

好きでもないものを、好きなふりはしないと誓います。もう二度と、心と裏腹のことは、しないと。

と、なると、もしかすると、この店にボトルをキープするのも、この一本で終わりかも知れないと、ふと思った。

おかえりなさい

角田光代

角田光代（かくた・みつよ）
一九六七年、神奈川県生まれ。早稲田大学第一文学部卒。九〇年「幸福な遊戯」で海燕新人文学賞を受賞しデビュー。九六年『まどろむ夜のＵＦＯ』で野間文芸新人賞、九八年『ぼくはきみのおにいさん』で坪田譲治文学賞、九九年『キッドナップ・ツアー』で産経児童出版文化賞フジテレビ賞、二〇〇〇年同作品で路傍の石文学賞、〇三年『空中庭園』で婦人公論文芸賞、〇五年『対岸の彼女』で直木賞を受賞。著書に『庭の桜、隣の犬』『人生ベストテン』『八日目の蝉』『ロック母』など多数。

この話をするためには、まず、自分の恥部から説明しなくてはならない。ぼくがだれにもこの話をしたことがないのは、ひとつには、その恥部をさらしたくないためでもある。けれどぼくは、今、どうしてもこの話をしたい気持ちでいる。明日にはまったくの他人になってしまうきみに、どうしても。そうしてぼくは、閉ざされた寝室のドアをノックする。荷造りをしていたきみは、不機嫌そうな顔でドアを開ける。冷えた瓶ビールと、それからグラスを両手に持って、ぼくは寝室に入り、床にあぐらをかいて座る。ジーンズごしに床の冷たさが伝わり、エアコンが入っていないことに気づく。ぼくはリモコンに手をのばし、暖房をつける。

まあ飲もうよ。グラスに金色の液体をそそぐ。グラスに三分の一ほど液体が満ちるまで、こぽこぽと笑うような音がたつ。それをすぎるともう音は聞こえなくなって、あとは静かに、ちいさなあぶくが金色のなかを上昇する。

突っ立ったまきみはそれを眺めているが、あきらめたように、いやひょっとしたら、情けをかけるみたいにぼくの正面に座り、水滴で曇ったグラスを持ち上げる。ぼくらは、まるで何かよろこばしいことがあったみたいにグラスを合わせる。カチリ、という澄んだ音がする。

そのころぼくは二十歳になったばかりで、ぼろくてちいさな木造アパートに住んでいた。台所とトイレは共同、風呂《ふろ》もついていないようなアパート。一浪の後、前年に大学進学し上京したばかりだった。

そのころの金のなさといったら半端《はんぱ》じゃなかった。アルバイトをするにはしていたが、入ってくるお金はぜんぶ、映画や本や飲み会に消えた。そうしてそのときのぼくは、一学年上の女子学生に恋をしていた。いつも違う男子学生を連れ歩いている美人で、彼女の気を引くために、服も買わなけりゃならなかったし、デート代も懐《ふところ》に入れておかなくちゃならなかった。少ない仕送りとアルバイト代では、とてもじゃないけれどぜんぶまかないきれるはずがなかった。

アパートの隣室に、草加部という男がいた。銀縁眼鏡をかけた地味で陰気なやつで、ぼくと同じ大学の理工学部に通っていた。あまり好きな男ではなかったが、台所で顔を合わせるたび、そいつはなれなれしく話しかけてきた。

いいアルバイトがあるんだけれどやらないか。大学が夏休みに入ってしばらくしてから、台所で草加部に声をかけられた。アパートに住む学生たちはほとんど帰省していて、廊下も台所もひっそりとしていた。夏休みのあいだだけでもいいんだ、と草加部は言った。

インスタントラーメンを作りながら草加部の話を聞いてみると、ビラ配りのような仕事だった。一軒一軒まわって、パンフレットをその家の住人に手渡してくる、という仕事。簡単な仕事のわりに、草加部が口にする日給はびっくりするほどよかった。アルバイトしていた居酒屋で深夜まで働く金額より数千円高かった。しかも、規定数より多めに配れば、さらにいくらかプラスされ、パンフレットに載っている商品の注文が入れば、プラス額はもっと増えると言う。やる、とぼくは即答していた。

共用の台所でインスタントラーメンをすするぼくを相手に、草加部はそのパンフレットの見本を持ってきて、眼鏡をずりあげずりあげ、それがどういうものであるのか説明しだした。

あやしげな宗教団体のPR誌だった。いつからなのか、またどういう経緯でかは知らないが、草加部はその信者であるらしかった。

太陽光線が。宇宙の波動が。神より高みにいる大神さまが。汚れが。神聖な水が。インスタントラーメンをするぼくの向かいで熱心に語る草加部の言葉を、ぼくはすべて聞き流していた。本気にもしなかったかわりに、薄気味悪いとも思わなかった。いろんなやつがいるよな。思ったのはそれだけだった。

ラーメンを食べ終えて部屋に戻ると、草加部は、ぼくの部屋に段ボール箱をいくつも運びこんだ。そのすべてに例のパンフレットがつまっていた。運び終えてもやつは出ていこうとせず、その宗教がいかに正しく、信じていない人間がいかに不幸かを話そうとした。ぼくは彼を追い出して、エアコンのないくそ暑い部屋で、ぱらぱらとパンフレットをめくってみた。

へたくそな漫画があり、「病気が治った」「腰痛が治った」というような体験談があり、教祖による説話があり、宗教団体が売っているらしい健康食品の宣伝があった。いろんなやつがいるよな。他人ごとのようにもう一度思った。そして草加部が口にした日給を、十日でいくら、二週間でいくらと勘定したりしていた。居酒屋のアルバイトは夕方からだから、パンフレットはその前に配って歩けばいい。夏が終わるころには、半端でない金のなさは、ずいぶんと和らいでいる計算になった。

その夜、ぼくは近田ひろ子（一学年上の美人）に電話をかけて、デートに誘った。

近田ひろ子は人気レストランみたいに、一カ月先まで先約がいっぱいだと知っていたから、八月末の約束をとりつけるつもりだった。そのころには、居酒屋とパンフ配りの給金で、豪勢なデートができる算段だった。受話器の向こうで手帳をめくる音がかさかさとして、「いいわよ、八月三十日なら、空いているから」と近田ひろ子は答えた。

翌日からパンフレット配りをはじめた。居酒屋のアルバイトが五時からだったので、だいたい二時前後にアパートを出て、まず近所をぶらぶら歩いてまわってみた。

ポストに投げ入れるのではなく、住人に直接パンフレットを手渡す。それくらいのことはわけないと思っていた。何か売りつけるわけでもないし、家にあがらせてくれと言うわけでもない。ただ渡すだけなのだ。

けれど存外むずかしかった。インターホンを鳴らして「お渡ししたいものがありまして」と言ったところで、門や玄関の戸が開くことはめったになかった。「間に合ってます」と強い口調で言われるか、無言でインターホンを切られるだけだった。何軒も続けて断られているうち、だんだん腹がたってきた。何を渡すかもわからないうちから、何が間に合ってるって言うんだよ。ドアを開けて小冊子をもらうくらい、どうってことないだろう。

それでぼくは、「郵便です」だの「宅配便です」だのと、嘘《うそ》をつくようになった。嘘をつけばかんたんにドアは開くが、パンフレットを差しだせば嘘はもっとかんたんにばれる。迷惑そうな顔でパンフレットを受け取った人もいたが、嘘だとわかったとたん玄関を閉める人のほうが多かったし、ときには、警察を呼ぶと脅されたりもした。

アルバイトの時間が近くなっても、手元のパンフレットはほとんどなくならなかった。むしゃくしゃしていたぼくは、残りのパンフレットをぜんぶ、ゴミ集積場になっている電信柱の下に捨てた。

その日、十二時過ぎに居酒屋のアルバイトから帰ってくると、廊下に草加部が立っていた。どうやらぼくの帰りを待っていたらしかった。彼をよけるようにして部屋に入ると、彼も続けて入ってきて、「ああいうことをされると困るんだよね」と彼は言うのだった。

「今日のぶんは支払えないから、そのつもりでいてくれよ。捨てたりポストに突っ込んだりすればいいだろうと思うかもしれないけれど、あのね、全部ばれるんだ。規定違反のことをすれば給与が支給されることはないから、そのつもりで」神経質に眼鏡をずりあげながら、草加部は言った。

「悪かったよ」

なんだかもうとうに面倒になっていたのだが、やっぱり金はほしかったので、ぼくはすなおにあやまった。「明日からはちゃんとやるよ」

草加部はそれを聞くと安心したように笑い、そして図々《ずうずう》しくその場に座りこんで、自分の信じている宗教についての説明をふたたびしはじめた。エアコンのない蒸し暑い部屋なのに、汗ひとつかかず、大神さまの意志が、だの、宇宙の波動を受け止めるには、だのと、諳《そら》んじるように話すのだった。

明くる日は、電車に乗って知らない町に降り立った。パンフレットのつまった紙袋を提げて、住宅街をくまなくまわった。汗がしたたり落ち、路地の向こうが消えるようにゆらゆら揺れていた。何軒かの家はドアを開けてくれ、何軒かは乱暴にインターホンを切った。その日、パンフレットを捨てることはしなかった。

数日たつと、ドアを開けさせるいちばんいい方法がわかった。「××大学社会学部の川崎といいますが」と、学部だけを偽って、正直に名乗るのがもっとも手っ取り早かった。「夏休みの課題で、アンケートをお願いしてまわっています」「社会学ゼミの研究をしているんですが」あとに続く文句はとりあえずなんでもよくて、大事なのは、名乗るときにできるだけ誠実に、朴訥《ぼくとつ》に、不慣れにしゃべることだった。ドアが開けば、「これ、お願いいたします」と、深々と頭を下げてパンフレットを押しつけて去れぱいい。

パンフレットの減りが以前より多くなるにしたがって、腕や顔や首筋が真っ黒に焼けた。Tシャツのかたちに白いままの肌を見て、ぼくは近田ひろ子とのデートを案じた。服を脱がなければ日に焼けた自分はかっこよく見えるが、服を脱いだら笑われるだろうな。そんなことだ。それでときおり、午前中のうちにアパートを出、見知らぬ町を歩きまわり、その合間に数時間、Tシャツを脱いで公園に横たわったりもした。くまなく全身日に焼けるように。

強い陽射《ひざ》しの下、背中にちくちくささる芝生を感じながら、気がつくとぼくは、近田ひろ子のことではなくて、草加部のことを考えていることに気づいた。もちろんおかしな意味ではない。

草加部はあれ以来、ときおりぼくの部屋を訪ねてきて、相も変わらず、宇宙の波動について語り、大神さまの奇跡について語った。追い出すこともあれば、退屈しのぎに彼の話を聞くこともあった。草加部の言うことなんてまるきり信じる気はなかったけれど、それにしても不思議なのは、彼の揺るぎない信心だった。ぼくと同い年の草加部は、いつどのようにして、その突拍子もない新興宗教と出合い、どのような理由で信じるに至り、どういう気持ちで今、揺るぎなくそれを信じているんだろう。何か信じるものがあるってどういう気持ちだろう。草加部を見るかぎり、女にも単位にも就職にも金にも興味がないようだった。それがたとえいんちきだったとしても、信じるものがあるというのは、とてつもなく強いものなのかな。何ひとつ持たなくたって不安を感じないような。真夏の公園で、上半身裸のぼくが考えていたのは、そんなことだった。

彼女と出会ったのは、八月に入ってからだった。

ＪＲと私鉄を乗り継いだ、やはり降り立ったこともない、名前だってそれまで知らなかった駅で降り、めちゃくちゃに住宅街を歩いていたぼくは、垣根に囲まれた一軒家のインターホンを押した。返答はない。留守か、とあきらめようとしたとき、はーい、と細い声が聞こえた。たしかに聞こえた。それで、垣根と建物のあいだの細い通路をすりぬけて、裏にまわってみた。雑草が膝《ひざ》までのびた通路を抜けると、まったく手入れされていない狭い庭があった。庭に面して縁側があり、少し開いたガラス戸には簾《すだれ》がかかっていた。ガラス戸の隙間《すきま》に向かって、ぼくは例のせりふを言った。××大学、社会学部一年の、川崎と言います。あの、ゼミの一環でアンケートをお願いしておりまして……。

ガラス戸はゆっくりと開いた。そうして、ずいぶんと背の低い老婆《ろうば》があらわれた。

「あらまあ、お帰りなさい」老婆はぼくを見て、まったく驚くことなく、そう言った。お帰りなさい？　聞き違いだと思ったぼくは、縁側に身を乗り出して、紙袋からパンフレットを取り出した。

「あの、これ、よろしかったら読んでください」

ガラス戸を開け放った老婆はその場にちょこんと座りこみ、パンフレットを受け取りながら、

「暑いでしょう、そんなところに突っ立っていないで、お入りになったらどう」

と、やけにのんびりした声で言うのだった。

パンフレットを配りはじめてから数週間、そんな親切な声を聞いたことがなかったぼくは、疲れていたせいもあって、縁側に腰かけた。簾からなかをのぞくと、薄暗い和室が広がっていた。テレビがあり、それと向き合うようにして簡易ベッドがあり、部屋の真ん中に、ちゃぶ台がひとつあった。

「そんなところに腰かけて、へんな人ね」猫がのどを鳴らすような声で老婆は笑い、時間をかけて立ち上がると、奥へ消えた。不自由なのか、右足を引きずった、のっそりした歩き方だった。なんだかやけに長い時間のあとで、彼女は盆にグラスと瓶ビー

ルをのせて戻ってきた。畳の縁に盆を置き、「はいどうぞ」と、華奢《きゃしゃ》なグラスをぼくに手渡す。そして両手で瓶を持ち、ゆっくりとグラスにビールを注いだ。

今日はなんだかついてるな。ちょうど喉《のど》が渇いていた。老婆がついでくれたビールを、ほとんど一気にぼくは飲み干した。彼女はふたたび、両手で瓶を持ち上げる。やけに真剣な顔でビールを注ぎ、それを口元に運ぶぼくを、目を細めて眺めていた。

「すみません、ごちそうになっちゃって」

あんまり彼女がぼくを凝視するものだから、気まずくなってぼくは言った。すると彼女はまた猫のような声で笑い、「やあね、他人行儀に」と言うのだった。

そのときになってようやくぼくは思い至った。ぼくをだれかと間違えている。ひょっとしたら、この人、ぼけちゃってるんじゃないだろうか。

そこでぼくが考えたのは、恥ずべきことに、上乗せ金額のことだった。この人の家に残りのパンフレット全部置いていったら、今日のぶんはもう終わりだ。それにひょっとしたら、このおばあさん、パンフレットに載っているあやしげな水や健康食品を、わけもわからず買ってくれるんじゃないだろうか。

この話をだれにもしなかった理由、自分の恥部は、ここにある。自分を身内のだれかと間違っているらしい老女に、ものを売りつければ自分の得になる、二十歳の自分は平気でそう考えるような人間だったということ。

実際ぼくは、二杯目のビールを飲み干すと、紙袋からパンフレットすべてを取り出して、

「これ、ここに置いてくれないかな」と言ってみた。

「ああ、はいはい、ようござんす」おばあさんは言って、ぼくからパンフレットを受け取り、自分のわきに大事そうにそれを置いた。

「それから、あの、体調がよくなる水があるんだけど」

適当なことを言って、パンフレットのうしろのほうのページを開いてみた。これはさすがにどぎまぎした。だってぼくは、草加部と違って、それがいんちきだと思っていたわけだから。

「そんなことよりも、枝豆茹《ゆ》でますか」

老婆はしかし、パンフレットをちらりとも見ず、真顔でぼくに訊いた。

「え、いいんですか」

彼女が水を買うと言い出さなかったことに、少しだけ安堵《あんど》した。老婆は時間をかけて立ち上がると、なんにも言わず奥の間に消えた。

ぼくは縁側に座ったまま、和室をじろじろと眺めまわしたり、ちゃぶ台の下に置か

れたパンフレットにちらりと目を走らせたり、荒れ放題の庭に目を向けたりした。婆《ばあ》さん、台所で倒れているんじゃなかろうか。本気でそう心配してしまうくらい長く待たされたあとで、ようやく彼女は戻ってきた。ガラスの鉢に、てんこ盛りの枝豆がのっている。それをぼくの前に置くと、老婆はまたもや瓶を両手で持ち上げて、ぼくのグラスにビールを満たした。

枝豆は、まだあたたかく、しょっぱかった。茹でたての枝豆なんて、ずいぶん久しぶりに食べた。香ばしくて甘味があって、ぼくの知っている枝豆とは違う食べものみたいにおいしかった。続けざまに枝豆を食べビールを飲んだ。そのまま畳に寝転がりたいような心地よさがあった。

「すみません、ごちそうになっちゃって」

気がつくと四時を過ぎていて、あわててぼくは立ち上がった。老婆はまぶしそうにぼくを見上げ、

「またきてくださるか」と訊《き》く。

「えーと、あの、迷惑でなければ」ぼくはへどもどと答えた。ぼくを見る老婆の目が、なんだか赤ん坊みたいにまっすぐだったから。

「いってらっしゃいまし」

おばあさんは畳にこすりつけるようにして頭を下げた。まるい背中が、岩みたいにもっとまるく盛り上がった。ぼくは逃げるように庭を出、門を出、住宅街をめちゃくちゃに走った。こわいようなうれしいようなさみしいような、世界一の犯罪者になったような、複雑な気分だった。

翌日の昼過ぎに、ぼくは記憶をたどってもう一度老婆の家にいった。またきてくださるか、と言われたからだ。そう自分に言い聞かせていたけれど、それは完全な言い訳だった。だってぼくは、紙袋にまたパンフレットを詰めこんでいったのだし、昼飯も食べずに電車に乗ったのだから。

垣根の家のインターホンを押すと、また、庭のほうからちいさく返事が聞こえた。昨日と同じ要領で通路を歩き、庭へと出る。庭には洗濯物が干してあった。バスタオルやシャツや、ジーンズや下着。縁側の障子も窓も開け放たれていて、簾は上に巻きつけてあった。そうしてちゃぶ台の前に、老婆がちょこんと座っていた。

「こんにちは」縁側に腰かけて室内を見て、ぎょっとした。薄暗い和室に座る老婆の口が、真っ赤に塗られていたからである。

「あらまあ、お帰りなさい」

昨日と同じせりふを、座ったまま老婆は言った。

「どうぞお上がりになって」と続ける。はあ。ぼくはあいまいにうなずき、スニーカーを脱いでうながされるまま縁側から和室に上がった。煮物と線香と洗濯物の混じったようなにおいがした。ひんやりした畳の感触が、靴下越しに伝わってきた。所在なく立ち尽くすぼくに、老婆は座布団《ざぶとん》を勧めた。老婆の向かいにぼくは座った。薄暗い和室に目が慣れると、向かいに座る老婆が口紅だけでなく、頰紅をさしているのにも気がついた。薄桃色の頰紅。

「今」ぽつりとつぶやいて、老婆は難儀して立ち上がり、またよたよたと奥へと引っこんでいく。

しんとしていた。縁側からは死角になっていて気がつかなかったが、部屋の隅には仏壇があった。鮮やかな黄色の菊が飾ってあった。水菓子らしいものがそなえてあった。位牌《いはい》は大中小と三つあった。

「支度を」盆を持って戻ってきた老婆はうなるようにつぶやき、ちゃぶ台に、昨日と同じグラスと同じ銘柄の瓶ビールを置いた。グラスは、冷蔵庫に入れて冷やしてあったらしく、乳白色に曇っていた。老婆は立ったまま腰をかがめてグラスにビールをつぐと、「しますから」口のなかでつぶやいて、また奥へと消えた。

仏壇の上、天井近い壁に黒い縁の額に入ったモノクロ写真が飾られていた。古めかしい顔つきの男性と、古めかしい顔つきの女性、それからまだ真新しいカラーの家族写真があった。男性と女性はまだ若く、ぎゅっと口を引き結んでこちらを見ている。その男性は老婆の父であるのか夫であるのか、また若い女性が老婆本人であるのか彼女の母であるのか、わからなかった。家族写真には、今よりはもう少し若い老婆と、中年夫婦、それに小学生らしき子どもたちが写っている。庭に干された洗濯物と考え合わせると、老婆は息子夫婦だか娘夫婦だかと暮らしているらしかった。写真のなかの子どもたちは、今では高校生か大学生くらいだろう。物干し竿《ざお》にかかったジーンズやポロシャツや、柄つきトランクスは彼らのものだろう。

よろよろと、盆を持った老婆がおぼつかない足取りであらわれる。あわてて立ち上がり、彼女から盆を受け取った。受け取った盆を見おろしてぼくは驚いた。食事を期待していないわけでもなかったが（何しろ昼飯を食べずにきたくらいなのだ）、盆にはずいぶんな数の小鉢と皿が並んでいた。里芋の煮物、高野豆腐と椎茸《しいたけ》の煮物、唐揚げ、魚の煮たもの、青菜のお浸し、ひじき煮、五目豆、ごぼうを牛肉で巻いたもの。

盆をちゃぶ台に置くと、老婆はぼくを押しのけるようにしてそれらをひとつずつ並べていった。そして、空になっていたぼくのグラスをふたたびビールで満たした。

「あの、これ」

「どうぞ召し上がって。ご遠慮なく」しわがれた声で老婆は言い、片手で口元を押さえて笑った。

「じゃあ、あの」箸《はし》を手にして、おそるおそる唐揚げを食べた。冷めていたが、おいしかった。食べはじめると、昨日の枝豆みたいに止まらなくなった。毎日、居酒屋の賄《まかな》いとコンビニエンスストアの弁当ばかり食べていたから、家庭料理はなつかしくておいしかった。出汁《だし》の味、薄口醤油《しょうゆ》の味、そんなものが。

ビールが空くと、老婆が立ち上がって奥からもう一本ビールを持ってきた。グラスにつぐとき、こぽこぽと笑うような音がした。部屋が静かすぎるから、そのかすかな音がやけに大きく響いた。夢中で箸を口に運びながら、ふと老婆を見ると、正面に座った彼女はじっとぼくを見ていた。目が合うと、ぱっとうつむいて目を落とした。

なんだか妙な気持ちになった。暗い静かな和室で、向き合う女性が老婆なんかではなく、自分と同い年かもっと年下の女の子で、ぼくはその子に招かれてここにきて、そうして食事をしているような気分だ。ぼくらのあいだに、すでに何か濃密な時間が流れたような、そんな気分だ。自分の考えの異様さに顔が赤くなるのを感じた。目の前の老婆のようにぼくもうつむいて、無言で箸を動かし続けた。

へんな気持ちになったせいで、体じゅうがざわざわした。扉を開けたら断崖《だんがい》絶壁で、足を踏み出したらいけないと思いつつ、気持ちと裏腹に足がそろそろと前に出てしまうような、そんな気分だった。

ビールを二本飲み干したのを確かめると、老婆は奥からごはん茶碗《ちゃわん》と漬物ののった皿を持ってきた。ありがとうございます。口のなかで言い、ぼくはかきこむようにごはんを食べた。おかわりはいるかと老婆は訊いたが、ぼくは断った。そうして足元に置いた紙袋を引き寄せて、なかからごっそりとパンフレットを取り出した。

「これ、また置いていってもいいかな」おずおずとたずねると、

「ようござんす」昨日と同じ返答をして、老婆は受け取る。老婆はそれを、大切なもののように慎重にベッドの下に押しこんだ。大金が入っているとでもいうように、慎重に、だいじそうに。ベッドの下をのぞきこむと、昨日ぼくが手渡したパンフレットが、その隣に端を揃《そろ》えて置いてあった。

「これ、ぼくが洗います」

すべて空になったちゃぶ台の上の皿を指し、ぼくは言ってみた。

「そんなのは男の人のやることじゃありませんよ」

老婆は笑って言い、盆に皿をのせていく。

「でも、あの、これじゃ食い逃げだから」

老婆から盆を取り上げて、ぼくは和室を出た。暗い廊下が続き、玄関の隣が台所になっていた。そこは和室とは違い、生活の気配がにぎやかに満ちていた。ダイニングテーブルの上には菓子パンやスナック菓子やダイレクトメールがのっていて、部屋の隅には贈答品らしい包みや紙箱が積まれている。ソファテーブルには朝刊が広げたまま置いてあった。テレビの上にはレースの敷物があり、オルゴールと砂時計と木彫りのくまがのっている。ガス台や換気扇は油で黒ずみ、流しの上には食パンや鍋《なべ》、ラップや封の開いた海苔《のり》なんかが雑然と置いてある。水垢《あか》のこびりついた流しで、ぼくは小鉢や茶碗を次々と洗っていった。その部屋の生活感は、高校生まで住んでいた実家によく似ており、見知らぬ人の台所で洗いものをしていることの現実味はあんまり感じられなかった。なんだかごく当たり前のことをしているように思えた。それで、さっきのざわざわを思い出さずにすんだ。

帰ります、と老婆に言うと、

「またきてくださるか」昨日とおんなじことを言った。うなずくと、赤い唇を横に広げて笑顔を作った。あ、と声を出しそうになった。その顔と、モノクロ写真の女の顔が、見事に一致したからだ。そうか、あの写真は老婆の若いころか。だとすると、その隣の男性は老婆の夫だろうか。

ぺこりと頭を下げて、ぼくはまたもや庭を飛び出し、住宅街をめちゃくちゃに走った。その日、居酒屋のアルバイトはずる休みした。

明くる日もその次の日も、ぼくはその家にいった。パンフレットを紙袋に詰めて、腹を空かせて。最初は、老婆にまたこいと言われたから、というのが言い訳だった。けれどそれは、数日で反転した。パンフレットをあの家に置いてくれば一日歩きまわらなくてもいいし、タダ飯が食える。それが言い訳になった。言い訳を用意しなくてはならないほど、あの家にいきたいと思っている自分が不可解だった。

ひょっとしたら今日は、どこのどいつだと言われるかもしれないと、庭に続く狭い通路を歩くとき、きまって緊張したけれど、老婆《ろうば》はかならずぼくを見ると「お帰りなさい」とほほえんだ。

和室に上がらせてもらって以来、老婆はいつも食事を用意していた。午前中に老婆が作っているのか、前の日の家族の食事の残りなのか、よくわからないが、とにかくちゃぶ台の前に座ると、冷えたビールと品数の多い料理が並んだ。

老婆はほとんど何もしゃべらない。ぼくが黙々と料理を食べるのを、じっと眺めている。目が合うと、あわてて目を落とす。薄桃色の頬紅が似合う少女のように。

土曜日、いつものように老婆の家を訪れて、インターホンを押さずに庭にまわろうとしたとき、家のなかから声が聞こえて、ぼくはあわてて門から外に出た。にぎやかなテレビ中継（高校野球が流れていた）、皿を洗う音、二階からはロック（レッド・ホット・チリペッパーズ）が聞こえ、おまけに、ちょっとユウジおりてきてちょうだいよー、と中年女性の甲高い声までもが聞こえてきた。一軒の家から漏れ聞こえてくるその騒音は、あのごちゃごちゃした台所ととても釣り合いのとれたものに思えたのに、自分の大切にしているものを、いたずらに壊されたような腹立たしさを覚えた。垣根の家に背を向けぼくは走った。

結局、その日もアルバイトを休んだ。なんだかやる気がしなかった。エアコンのない部屋に寝転がって天井をにらみ、あまりの暑さに耐えかねてビールを買いにいった。商店街の酒屋で缶ビールと百円均一の缶詰を買い、部屋に戻ってプルタブを開けた。老婆がいつも出してくれるビールと同じ銘柄のものを買ったのに、不思議と味がまったく違った。苦くて、素っ気ない味がした。缶詰に入ったさんまも、むろんまずかった。

月曜日にふたたび老婆の家にいった。土曜日の喧噪《けんそう》が嘘《うそ》のように静まり返っていた。ほっとした。自分の所持品を取り返した気分だった。そうしてその日も、老婆はぼくを待っていた。先週は、入院患者が着るような浴衣《ゆかた》を着ていたが、その日は涼しげに見える和服を着ていた。

「旅行にいってらしたの？」と、あいかわらずビールを運んできながら彼女は訊いた。最初、何を訊かれているんだかわからなかったが、こなかった週末のことを言っているのだと理解した。「ずっと待っていたのに」老婆はうらめしげにぼくを上目遣いに見た。口紅と頬紅はその日もしっかりぬられていた。

彼女の頭のなかが、どんなふうになっているのかぼくにはよくわからなかった。ぼくをだれかと勘違いするほどぼけているようなのに、二日こなかったことはきちんと覚えている。何が線になっていて、何が点になっているのか。

ちゃぶ台には、先週と同じように料理が並ぶ。たまご焼き、しらすおろし、焼き魚、サツマイモのレモン煮、インゲンのゴマよごし、白和《あ》え、アスパラガスを豚肉で巻いたもの。

箸を手にとり、先週のようにぼくはそれらを食べはじめた。グラスが空くと、老婆が両手で瓶を持ち上げて、真剣な顔で注ぎ足した。冷やされたグラスを水滴がすべり落ちる音が、聞こえそうなくらい、静かだった。

サツマイモを口に運んでビールを飲む。インゲンを咀嚼《そしやく》し飲みこんでビールを飲む。秒針の音もエアコンがまわる音もしない。簡易ベッドやちゃぶ台が作る影に、音という音がすべて吸いこまれてしまったみたいだった。ふりかえると、ガラス戸の向こうで庭は白く光っていた。老婆はグラスにビールを注ぐ。グラスから白い泡がもりあがって、あふれそうであふれなかった。

その、こんもりともりあがって静止している泡を見つめ、唐突にぼくは理解した。老婆がぼくをだれと勘違いしているのか。仏壇の上をふり仰ぐ。まじめくさった顔でこちらを見ている男のモノクロ写真を見る。細長い顔、一重の細い目、引き結んだ薄い唇。ぼくにはまるで似ていない。いや、写真の男かどうかはわからない。けれど彼女はかつて愛しただれかとぼくを勘違いしているのに違いない。かつて愛した男。たぶん、生涯に一度だけ、最初で最後に愛した男。彼女はその男を前にしても、愛や好意を口にはしなかっただろう。相手に対する愛や好意を、理解すらしていなかったかもしれない。ただ彼女は、その男が食卓に腰を下ろすたび、グラスと瓶ビールを運び、小鉢に盛ったおかずを並べ、ビールを二本、男が飲み終えたのを確認して、ごはんと漬物を用意した。くりかえされるその習慣が、彼女の愛であり好意だったのだろう。

そうして、今がいつか自分が何歳か忘れてしまっても、習慣だけが彼女の内にくっきりと残っている。だれかを愛した記憶として。

薄暗い、ひんやりとした和室で、ぼくが理解したのはそういうことだった。老婆は、箸を動かすぼくをじっと見つめている。目が合うと視線を落とし、それからゆっくりとほほえむ。もちろんぼくは彼女が愛した男ではないし、知り合いですらないのだが、その見知らぬ家の和室で、今まで感じたこともないくらい気持ちが安らぐのを感じていた。何か、とてつもなく分厚く頑丈なものに守られている、そんな安心感があった。最後に運ばれてきたごはんを漬物で食べながら、ちらりとぼくはベッドの下を見た。先週ぼくの置いていったパンフレットが、端を揃えてそこにあった。

その日、紙袋に入れてきたパンフレットをぼくは取り出すことをしなかった。帰ります、と言って立ち上がると、

「またきてくださるか」老婆が訊《き》いた。

「また、きます」ぼくは言った。縁側に座り靴を履くぼくを、老婆は背後からじっと見つめていた。「ごちそうさまでした」立ち上がり、頭を下げると、老婆は赤い唇を横にのばして、いってらっしゃいとちいさな声で言った。

草加部から受け取ったパンフレットはまだまだあったが、配るのをやめてしまった。そのかわり、ぼくは土日以外の毎日、老婆の家にいった。ビールとつまみ、ごはんと漬物はいつも用意されていた。グラスはいつも冷やされていた。老婆はいつも化粧をし和服を身につけていた。ぼくが箸で豆をうまくつかめずにいると彼女は声をたてて笑った。裏の神社に住んでいる猫が子どもを産んだ話をしてくれることもあった。老婆の家に寄ったあとは、なぜかかならずアルバイトにいく気力がなくなって、居酒屋のバイトは数日無断欠勤をしたためにクビになった。草加部がぼくの部屋に運びこんだパンフレットは、そのまま放置してあった。

当然のことながら、金はたまらなかった。近田ひろ子のためにレンタカーを借りる金もフランス料理をおごる金もなく、それどころか、映画のチケットを二人ぶん買えるかどうかもあやしいくらいだった。それでもぼくは、別のアルバイトをさがすこともせずパンフレットを配ることもせず、老婆の家に通い続けた。近田ひろ子とのデートは、どんどんどうでもよくなった。なんだか、近田ひろ子とデートをしたいと願った自分が、ひどく幼稚に思えた。話したこともない近田ひろ子に惹《ひ》かれている気持ちが、薄っぺらいものに思えた。友だちがみんな持っているからという理由で、ほしくもないローラースケートをせがむ子どもみたいに思えた。近田ひろ子とデートをするよりも、老婆の和室のちゃぶ台に、彼女と向き合って座っていたかった。あの奇妙な安心感に包まれていたかった。

けれど、八月三十日当日、ぼくはデートもせず老婆の家にもいかず、蒸し暑い自分の部屋に寝ころんでいた。

十日ほど前、いつものように老婆の家の門を開けたとき、玄関のドアが勢いよく開いて、髪の短い中年女性が飛び出てきた。

「あんたね」ぼくをにらみつけ、叫ぶような大声でわめき散らした。「あんただったのね！　毎日毎日台所に空き瓶があって、おかしいと思ったのよ、なんの企《たくら》みがあってうちに上がりこんでいるの！　年寄りにとりいってだまそうったってそうはいかないわよ！　こんなもの、こんなもの」中年女性は奥からパンフレットを持ち出してきて、ぼくに投げつけた。それはばらばらとぼくの足元に落ちた。「年寄り相手に売りつけようなんて許せない！　あんた、家はどこ、学校はどこ、名前を言いなさいっ！」すごい剣幕だった。ぼくはくるりと背を向けて、猛ダッシュで逃げた。「二度とくるなっ！　今度きたら警察につきだしてやるっ」背後で中年女性が叫ぶ声が聞こえた。逃げながら、老婆は着物を着て化粧をして和室に座っているのだろうかと思った。中年女性の声を聞いただろうか。聞いていなければいいと思った。きんきんした怒鳴り声が、ほかの物音みたいに、和室のそこここにある影に吸いこまれてしまっていればいいと思った。

駅についたら、全身から汗が噴き出した。自動販売機でジュースを買って一気飲みした。空を見上げた。何やってんだ、おれ。いい年して。口のなかでそうつぶやいて笑ってみた。そうしないと泣いてしまいそうだった。叱《しか》られて家を出された、ちいさな子どもみたいに。

夏の空は高く、雲のひとつもなかった。

その日以来、ぼくは老婆の家にはいっていなかった。そうして近田ひろ子とも、デートをする気にはなれなかった。

三十日の夕方、部屋に積んである段ボール箱を、草加部の部屋まで運んだ。彼は迷惑なような、あわれむような顔でぼくを見た。

「これ、返す」ぼくは言った。

「夏休みは終わるけど、それを配り終えるまで続けたっていいんだよ」草加部はなぐさめるように言った。

「いや、ぼくには向かないみたいだから、返すよ」

そう言って彼の部屋に段ボール箱を置いた。草加部は黙ってぼくを見ていたが、封筒から数枚の紙幣を抜き取ると、ぼくに渡した。想像していたよりずっと少ない額だったが、もちろんきちんと仕事をこなしていないわけだから、文句を言えるはずもなかった。それを受け取ると、草加部は言った。

「明日、集会があるからいっしょにこないか。このパンフレットのこともっとよくわかると思うし、ひょっとしたらもっときみに向いた仕事があるかもしれない」

ぼくはじっと草加部を見た。彼の白い額と、銀縁の眼鏡と、剃《そ》り残したらしい髭《ひげ》を。

「信じるものがあると、強くなれるんだろうな」

ぽつりと言うと、草加部が瞬間うれしそうな顔をしたので、思ったことをそのまま口にしたことを後悔した。草加部は眼鏡をずりあげながら、例の、宇宙だとか大神さまだとかの話をしようとしたが、ぼくは聞かず彼に背を向けた。

草加部の信じているものを信じる気にはまったくなれなかったけれど、何かを疑いようもなく信じている、ということにおいてのみ、彼を羨《うらや》ましく感じた。信じるものがある、ということは、きっと、あの暗い和室で感じた途方もない安心感に、始終包まれているようなことにぼくには思えたからだった。

つまらない話だと思ったかもしれない。なんでこんなときに、そんな馬鹿《ばか》みたいな話をするのか。そう思ったかもしれない。けれどぼくは、きみにこの話を聞いてもらいたかった。

きみと生活をはじめるときに、ぼくはあの見知らぬ家の時間のことを思い出していた。あんなふうな時間が、ぼくらの生活に流れればいいと思っていた。すぐじゃなくたっていい、十年後、二十年後、五十年後でもいい。交際をはじめたころの強い恋愛感情が薄れたとしても、それはかたちを変えて習慣のなかにひそみ、そのことに、ぼくもきみも深い安心感を覚えるような、そんなふうにいつかなれればいいと思っていた。

信じられるものを、ぼくは創り出したかったんだろう。それは恋愛感情というあいまいなものでも、婚姻という形式でもなくて、もっとささやかでちいさなもの。老婆が運んできたビールと、冷やしたグラスみたいなもの。こぽこぽというちいさな音や、湯気をたてる料理みたいなもの。お帰りなさい、いってらっしゃいとすりへるくらいくりかえす言葉。自分の名前すら忘れてしまったとしても、それだけは忘れない揺るぎない所作。そういうものを、きみと、創り出したかった。

薄っぺらい紙切れを持って区役所にいったあの日、ぼくが思っていたのはそういうことだったのだと、今、どうしてもきみに聞いてほしかった。

きみはとうにぬるくなったビールを、自分のグラスに注ぎ、ぼくのグラスにも注ぎ足す。ぼくらは目を合わせず、それを飲む。きみはちらりとぼくを見て、薄くほほえんでみせる。そうね、私もそう思っていたわ。ささやくようにきみは言う。

部屋のなかは充分あたたまり、ビールは心地よく喉《のど》をすべり落ちる。

ぬるいビールを飲み干すと、空き瓶を持ち、ぼくは立ち上がる。きみは遠慮がちに、薄い紙を差しだす。何か創り出せると信じていたぼくらが、区役所に持っていった紙とよく似ているが、正反対の意味を持つそれを受け取り、ぼくは寝室を出る。台所にいき、グラスを洗う。洗い終え、きみから受け取った紙を広げてみる。あとは、自分の名前を書き入れるだけになっている。

そのときぼくは思う。ひょっとしたら、創り出せなかったのではなくて、実際は創り出したのかもしれない。信じられるささやかな何かを。明日から別々の生活をはじめるとしても、それは消えずにぼくらの内にあり、そうして何十年もたったある日、ふと思い出したようにぼくらを安心感で満たすかもしれない。

ダイニングテーブルにつき、ぼくははじめて字を覚えた子どもみたいに、慎重に、ゆっくりと自分の名前を書き入れていく。

この作品は平成十七年十二月新潮社より『最後の恋』として刊行された。

阿川佐和子著

スープ・オペラ

一軒家で同居するルイ（35歳・独身）と男性二人。一つ屋根の下で繰り広げられる三つの心とスープの行方は。温かくキュートな物語。

阿川佐和子著

オドオドの頃を過ぎても

大胆に見えて実はとんでもない小心者。そんなサワコの素顔が覗くインタビューと書評に、幼い日の想いも加えた瑞々しいエッセイ集。

檀ふみ
阿川佐和子著

太ったんでないのッ!?

キャビアにフォアグラ、お寿司にステーキ。体重計も恐れずひたすら美食に邁進するアガワとダンの、「食」をめぐる往復エッセイ！

角田光代著

キッドナップ・ツアー

産経児童出版文化賞フジテレビ賞
路傍の石文学賞

私はおとうさんにユウカイ（＝キッドナップ）された！　だらしなくて情けない父親とクールな女の子ハルの、ひと夏のユウカイ旅行。

角田光代著

おやすみ、こわい夢を見ないように

もう、あいつは、いなくなれ……。いじめ、不倫、逆恨み。理不尽な仕打ちに心を壊された人々。残酷な「いま」を刻んだ7つのドラマ。

角田光代著

さがしもの

「おばあちゃん、幽霊になってもこれが読みたかったの？」運命を変え、世界につながる小さな魔法「本」への愛にあふれた短編集。

柴田よしき著　所轄刑事・麻生龍太郎

事件には隠された闇があり、刑事にも人に明かせぬ秘密があった――。下町の所轄署に配属された新米刑事が解決する五つの事件。

柴田よしき著　ワーキングガール・ウォーズ

三十七歳、未婚、入社15年目。だけど、それがどうした？　会社は、悪意と嫉妬が渦巻く女性の戦場だ！　係長・墨田翔子の闘い。

柴田よしき著　やってられない月曜日

二十八歳、経理部勤務、コネ入社……近頃シゴトに不満がたまってます！　働く女性をリアルに描いたワーキングガール・ストーリー。

谷村志穂著　海猫（上・下）
島清恋愛文学賞受賞

薫――。彼女の白雪の美しさが、男たちを惑わすのか。許されぬ愛に身を投じた薫と義弟・広次の運命は。北の大地に燃え上がる恋。

谷村志穂著　雪になる

抱きしめてほしい。この街は、寒すぎるから――。『海猫』『余命』で絶賛を浴びた著者が描く、切なくて甘美な六色の恋愛模様。

谷村志穂著　余命

新しい命に未来を託すのか。できる限りの延命という道を選ぶのか。妊娠とがんの再発を知った女性医師の愛と生を描く、傑作長篇。

乃南アサ著
凍える牙
直木賞受賞

凶悪な獣の牙——。警視庁機動捜査隊員・音道貴子が連続殺人事件に挑む。女性刑事の孤独な闘いが圧倒的共感を集めた超ベストセラー。

乃南アサ著
女刑事音道貴子
嗤う闇

下町の温かい人情が、孤独な都市生活者の心の闇の犠牲になっていく。隅田川東署に異動した音道貴子の活躍を描く傑作警察小説四編。

乃南アサ著
二十四時間

小学生の時の雪道での迷子、隣家のシェパードの吐息、ストで会社に泊まった夜……。短編映画のような切なく懐かしい二十四の記憶。

乃南アサ著
駆けこみ交番

閑静な住宅地の交番に赴任した新米巡査高木聖大は、着任早々、方面部長賞の大手柄。しかも運だけで。人気沸騰・聖大もの四編を収録。

乃南アサ著
しゃぼん玉

通り魔を繰り返す卑劣な青年が山村に逃げ込んだ。正体を知らぬ村人達は彼を歓待するが。涙なくしては読めぬ心理サスペンスの傑作。

乃南アサ著
いつか陽のあたる場所で

あのことは知られてはならない——。過去を隠して生きる女二人の健気な姿を通して友情を描く心理サスペンスの快作。聖大も登場。

佐野洋子著
がんばりません
気が強くて才能があって自己主張が過ぎる人。あの世まで持ち込みたい恥しいことが二つ以上ある人。そんな人のための辛口エッセイ集。

松尾由美著
雨恋
会いたい。でも彼女と会えるのは雨の日だけ。平凡なサラリーマンと普通のOL（ただし幽霊）が織りなす、奇跡のラブ・ストーリー。

篠田節子ほか著
恋する男たち
小池真理子、唯川恵、松尾由美、湯本香樹実、森まゆみ等、女性作家六人が織なす男たちのラブストーリーズ、様々な恋のかたち。

三浦しをん著
秘密の花園
それぞれに「秘めごと」を抱える三人の女子高生。「私」が求めたことは――痛みを知ってなお輝く強靭な魂を描く、記念碑的青春小説。

三浦しをん著
私が語りはじめた彼は
大学教授・村川融をめぐる女、男、妻、娘、息子……それぞれの「私」は彼に何を求めたのか。人間関係の危うさをあぶり出す、連作長編。

三浦しをん著
乙女なげやり
日常生活でも妄想世界はいつもハイテンション。どんな悩みも爽快に忘れられる「人生相談」も収録！　脱力の痛快ヘタレエッセイ。

最《さい》後《ご》の恋《こい》

つまり、自分史上最高の恋。

新潮文庫　　あ-49-3

平成二十年十二月　一　日　発　行
平成二十三年十二月十五日　三十二刷

著　者　阿川佐和子　角田光代　沢村　凜　柴田よしき　谷村志穂　乃南アサ　松尾由美　三浦しをん

発行者　佐藤隆信

発行所　株式会社　新潮社

郵便番号　一六二—八七一一
東京都新宿区矢来町七一
電話　編集部(〇三)三二六六—五四四〇
　　　読者係(〇三)三二六六—五一一一
http://www.shinchosha.co.jp

価格はカバーに表示してあります。

乱丁・落丁本は、ご面倒ですが小社読者係宛ご送付ください。送料小社負担にてお取替えいたします。

印刷・二光印刷株式会社　製本・株式会社大進堂

ISBN978-4-10-120123-8 C0193